腹黒い世界の常識

腹黒い世界の常識

まえがき

国家は侵略以上に自殺によって滅びる。

最も警戒すべきは「綺麗な言葉」である。平和、核廃絶、国連、地球環境、差別解消、等々。これらを唱える人々の背後では、常に腹黒い勢力がとぐろを巻いている。目的は日本の弱体化であり、日本を犠牲にした利権の獲得である。

美辞麗句に隠された国際政治の現実を知らなければ、「ひ弱な経済大国」日本はカモにされ続けるだろう。

本書は、反日勢力が仕掛ける各種工作の実態を明らかにし、対処法を示すべくまとめた。

強い者だけが弱い者を守ることができる。

国がタフであってこそ、国民はおだやかに、たおやかに生きていける。国家としての日本は、公正であると共に、「世界一優しいが、怒らせると世界一怖い」存在であるのが理想だろう。

第1章は、同盟のあり方に焦点を当てた。アメリカはお人よしではない。日本頼りにならずと判断すれば、単に見捨てるに留まらず、強大な敵とも化しかねない。

それが分かっていた安倍晋三首相は「戦後レジームからの脱却」に努めた。果たして自民党や国会は安倍の遺志を継げるのか。それとも、有害無益な政争や迎合に明け暮れ、国を内部崩壊させていくのか。

第2章は「日本核武装」シナリオを、イギリスの「連続航行抑止」戦略を参照しつつ提示した。

日本は独自核抑止力を持つべきでないし、たとえ望んでも持てない、というのは腹黒い勢力がほくそ笑む洗脳の最たるものである。日本は常識の立場に立ち、意志さえ固めれば、ファシズム勢力の核恫喝に対抗できる。「アメリカの核の傘は信用できるのか」といった議論は必要ない。

第3章は「米中対立」を取り上げた。もちろん日本は第三者ではなく、否応なしに最前線でこの「新冷戦」構造に組み込まれる。

中国共産党政権(以下中共)が併合を狙う台湾は太平洋とインド洋の結節点に位置する。理念的には冷戦期の西ベルリンに当たる「自由の砦(とりで)」である。

かつてケネディ米大統領が現地で発した「私はベルリン市民だ」にならえば、「私は台湾国民だ」が今や自由世界全体の標語でなければならない。

もっともベルリンの壁構築を許したのもケネディだった。アメリカの言葉でなく行動をしっかり見据える必要がある。

第4章は「国連」である。日本ではいまだに国連崇拝が根強い。国連機関からの脱退や拠出金停止というと、重大犯罪をそそのかされたかの如く、即座に怒りをもって拒絶反応を示す政治家がほとんどである。しかしアメリカでは、「国際派」のオバマ政権ですら一部の国連拠出金を止めている。

国連人権理事会は人権蹂躙をもみ消すための機関、というと「まさか」という人も多いだろう。しかし事実であり、しかも構造的に改革不可能である。同様に「安保理改革」も、国連憲章の規定を変える形のものは出来ない。いずれも頭に入れておきたい国際常識である。

第5章は「朝鮮半島」。日朝協議や米朝協議の再開は一応よいことだが、それは北朝鮮が直接日米を騙しに来ることでもある。最大級の警戒が必要だろう。アメリカで燻(くすぶ)る「危ない議論」を紹介した。

歴史戦についてもいくつかポイントを整理した。前面に踊り出る韓国の背後に中共がいる。潜在的な「賠償金額」は無限大と言える。ナイーブな懺悔外交は、日本にとって決定的な墓穴となりかねない。一方中共も大きなミスを犯している。具体的に指摘した。

第6章は「差別とLGBT」。アメリカの混乱に触れつつ、それ以上に危うい日本の状況に警鐘を鳴らした。闘う共和党と迎合する自民党の違いは鮮明である。常識を盾に女性や児童を守れない国が、ファシズム国家の工作や侵略に堪え切れるはずがない。

日本は本来、活力と可能性に満ちた国である。自殺に追い込まれさえしなければ、豊かな伝統を基盤として、世界の文明をリードする国になれる。そのためには各種の洗脳を解き、戦闘力を磨かねばならない。本書が課題としたところである。

腹黒い世界の常識

目次

まえがき　002

第1章　同盟・外交・憲法　015

1. 日本を取り囲む現実　016

同盟とは何か
国際法違反の「共謀」関係すら結ぶ
「できない理由を考えない」——安倍晋三最後の言葉
安倍晋三があえて明かした日本の恥部
ＮＡＴＯに加盟する資格
ＮＰＴ体制への危険な期待
米上院の「安倍追憶決議」を読み解く
安保条約破棄を宣言できるアメリカ
「対中強硬派」に冷たい岸田外交
レーガン「力を通じた平和」
拉致をめぐる「党内闘争」
「自民党有力者」の恐るべき無知

2. アメリカの本音 048

サダム・フセインに「9条の理念」を説いた結果
自衛隊内部からも疑問の声
前文は特に必要ない
実は改憲のハードルの高さは日米でほぼ変わらない
「尖閣諸島を守る必要はない！」
冷たく言い放った米アジア担当者
アメリカはお人よしではない
権利はあるが行使できない——世界の非常識
重大な禍根を残す憲法解釈
拉致被害者「救出」を禁じる憲法
不透明かつ安易な最高裁人事
民間人に多大な犠牲を出す専守防衛
アメリカ軍が敵に変わるという現実

第2章　核兵器

1.「日本の核武装は不可能」は本当か？　087

ファシズム国家による露骨な核恫喝

イギリスの戦略

アメリカがより意見を聞くようになった

核保有で世界から孤立などしない　088

2. 核の洗脳を解くとき　102

唯一の被爆国だからこそ

岸田首相は広島副市長か

報じられないアメリカの「日本核武装」歓迎論

「モスクワは核武装日本をさほど気にしない」

中国と北朝鮮が恐れる日本核武装

核武装は憲法違反ではない

河野太郎の不見識

「日本丸腰」を世界に喧伝する政府

世界を震撼させた13日間

呆れる日本のマスコミ報道 137

第3章 米中対立

1. 台湾有事は日本有事 138

バイデン「軍事介入」発言を読み解く
習近平に甘すぎる
「金融制裁」という最も強力な攻撃カード
訪台中止を求めたホワイトハウスの幹部たち
脱炭素合意などハナから守る気はない
防衛省の外で隠れて会う日台の軍関係者
尖閣防衛だけではアメリカは乗ってこない
映画会社ソニー・ピクチャーズを高く評価した理由

2. 麻生太郎元首相「アメリカはその程度の国」発言 161

アメリカ「国際連盟不参加」の真相
パリ協定「緑の気候基金」がテロ国家の軍資金に

第4章　国連　167

複数の独裁国家から金銭を受け取る
人権理事会は「国際もみ消し工場」
日本で根強い「国連第一主義」
国連事務総長が行ってきたこと
独裁者たちが憩うクラブハウスと化す
左翼の迂回ルート
「怯える金持ちはカモになる」

第5章　朝鮮半島　191

1．北朝鮮問題　192

アメリカ主流派外交エリートの危うい感覚
「ハニートラップ」としての北朝鮮

2．韓国問題　201

安倍政権下でも危うい動き

警戒すべき中国人慰安婦問題

3．安倍時代を経た日本の現状 209
日本の〝内側〟に敵がいる
闘う政治家

第6章 差別とLGBT 217
「弱者の味方」が何をしているか
LGBT問題の背後にある政治事情
活動家らの激しい攻撃で解職
左翼のターゲットになったディズニー
デサンティスの示唆深い言葉
エマニュエル駐日米国大使の執拗な「内政干渉」
LGBT特使の訪日
公明党の山口那津男に発破を掛ける
狙った獲物は逃がさない
狙うは国務長官ポストか

日本維新の会にも働きかける
「同性婚を法制化せよ」
「岸田の意向だった」
殺人事件の隠蔽に加担疑惑
不当極まりない逆差別

あとがき　261

第1章

同盟
外交
憲法

1．日本を取り囲む現実

同盟とは何か

同盟は一瞬にして敵対関係に変わる。共に戦う限りにおいてアメリカは日本の同盟国だが、日本が中国に降伏した途端、敵の戦略拠点として使われないよう、アメリカは日本を攻撃対象としてくる。

「血を流して守る」以外に、「破壊して去る」という選択肢もある。それが国際常識である。

中国に攻められれば手を挙げればいいというそぶく人間がいるが、中国軍に占領された上にアメリカの爆撃を受けてもいいと言っているのと同じである。

さっさと逃げると宣言する者もいる。一体どこに逃げるつもりなのだろうか。空港や港湾は戦争勃発と同時に封鎖状態になる可能性が高い。少なくとも正常運行はあり得ない。アメリカは脱出する在日アメリカ人を最優先で飛行機に乗せる。祖国を捨て我先に空港カウンターに押し寄せる亡命希望日本人を、米軍は軽蔑と共に「待て」と制止するだろう。結局、戦い続けることでアメリカを味方に留め置く以外の合理的選択肢はない。そのためには、日本は継戦能力を強化せねばならない。

かつて米陸軍の戦車部隊長として東西ドイツ国境地帯で偵察任務に当たったマイク・ポンペオ前国務長官は、常にレーガン大統領の言葉を肝に銘じていたという。


アメリカが自由を失えば、どこにも逃げる場所はない。我々は最後の砦だ。


この感覚はアメリカ人だけのものであってはならないだろう。日本は日本人にとって最後の砦である。

「強い者だけが弱い者を守ることができる」（Only the strong can protect the weak）という箴言（しんげん）がある。

強い軍事力、強い経済、強いエネルギー基盤を持った国であってこそ、弱い者も生きていける。

アメリカには、「日米安保条約は片務的だ、アメリカは日本のために戦うが、日本はアメリカが攻められてもテレビで見ていればいい」という、時に顕在化する潜在的不満がある。

それに対し、日本は米軍に基地を提供し、その世界戦略に貢献しているからバランスが取れている、という官僚的議論がある。しかしその「世界戦略」で守られる石油シーレーンで誰が最も恩恵を受けているのか、むしろここでもバランスは日本有利に傾いていると言われれば反論は難しいだろう。

「いやアメリカも……」と細かな論に入れば相手の侮蔑感を倍加させるだけである。

イギリスはアメリカにディエゴガルシア島を基地として貸しているが、同時にNATOの枠組でアメリカと相互防衛体制を組み、独自核武装により核抑止戦略の一端も担っている。こうした重層的関係が同盟本来のあり方だろう。

国際法違反の「共謀」関係すら結ぶ

なお欧州は現状、ロシアを唯一の戦略的脅威とするが、アメリカに加え英仏も核抑止力を保有している。

中朝露と3つの戦略的脅威に晒され、より危険な東アジアでは、逆にアメリカの「核の傘」しかない。英仏同様、日本も独自核抑止力を持つべきと考えるのがむしろ自然だろう。同盟と言えば思い出すのが、アメリカの元情報部員マイケル・ピルズベリーが語った言葉である。かつて雑誌で対談した。

ピルズベリーは冷戦期にアフガニスタンで展開された対ソ工作を、現場レベルで担った人物である。

アメリカは長年中国と密かな協力関係を維持してきた。対ソ秘密戦で手を握ったことが大きい。ソ連領内に侵入し破壊活動を行うアフガン・ゲリラを米中合同で支援するところまで踏み込んだ。協力というより共謀だった。こうした実態は日本には何ら教えなかった。日本は秘密作戦を行わない。一方、アメリカと中国は行うし、そのための特殊機関を持っている。そこに、米中ならではの深い協力関係が生まれた。

敵と対するに当たって、時に国際法違反の「共謀」関係にまで踏み込めてこそ、本当の同盟関係というわけである。これも国際常識の一つだろう。

「できない理由を考えない」——安倍晋三最後の言葉

凶弾に倒れる直前に、参院選の候補者を横において、安倍晋三元首相が発した最後の言葉は、「彼はできない理由を考えることはない」だった。

政界、官界にはびこる「まずできない理由を考える」風潮を戒めた大政治家の遺言だったと私は捉えている。個人的に、一つの根拠がある。

2022年3月8日、私は、英国型の独自核抑止力を日本も備えるべきことを論じた一文を産経新聞「正論」欄に寄せた。

詳しくは第2章で述べるが、英国は、水面下を移動するため発見されにくく残存性の高い原子力潜水艦4隻に、それぞれ50発程度の核弾頭を個別誘導できるミサイルを積み、常時1隻は必ず外洋に出る抑止体制（＝反撃体制）を採っている。

その正論コラムをフェイスブックやツイッターにも転載したところ、安倍がほどなく「いいね」を付けていた。左翼が発見すれば、「安倍が日本核武装に賛成」と大騒ぎしかねない「無謀な行為」だったが、安倍は日本の閉塞状況を打ち破る切り込み隊長となる覚悟を固めていたようだ。

「核武装」は、いまだ日本において最大級のタブーである。左翼・進歩派陣営は言うに及ばず、保守を自任する政治家でも大抵は、「日本は被爆国だから」「核兵器不拡散条約に入っているから無理」で思考停止してしまう。

その点、安倍は違った。

不慮（ふりょ）の死の約1か月前（6月3日）、私も参加し、安倍を囲んで行った文化人放送局のインタビュー番組で、やはり独自核保有を話題にした時、安倍は、政治的な難しさに言及しつつも、様々に思考を巡らせていることを窺（うかが）わせる丁寧な応答を行った。

野党やマスコミから叩かれ続けた安倍だが、それら勢力をさらに刺激するような発想をいくつも温めていたと思う。安倍は温和な立ち居振る舞いの現実主義者であると同時に、常に戦士だった。

問題は、そうした「大騒ぎ必至」の難題への挑戦も含めて「安倍晋三の遺志」を受け継ぐ政治家がどれだけいるのかである。

「唯一の被爆国が核武装など許されない」との洗脳が、日本ではいまだ広く行き渡っている（論理的には逆で、むしろ「3度目の被爆を避けるため、日本が核抑止力を持とうとするのは当然」だろう)。

核分裂エネルギーを制御しつつ利用する原子力発電は、現代文明の粋の一つである。しかし、ことさら原爆と結び付け、「核アレルギー」を煽り立てる議論も絶えない。小泉純一郎元首相の「原発は国民に向けた核兵器」論など典型である。

彼ら「平和主義者」や反原発活動家は、原爆には被害国を長期にわたって精神的武装解除に追い込む効果があると身をもって示すことで、期せずして核恫喝国家の走狗となっているに等しい。

安倍は、自民党の「最新型原子力リプレース(建て替え)推進議連」の顧問を務めるなど、原発の新増設にも積極姿勢を見せていた。効率のよい石炭火力発電所の新設や輸出を推奨するなど、脱炭素原理主義をはっきり排してもいた。

非業の死がなければ、2022年7月の参院選後には、いずれの「戦線」においても、中心になって活動のギアを上げていたはずである。

私は原発を多数有する福井県の住民なので分かるが、福井に関する限り、地元は概ね、日本のエネルギー基盤を支えるという気概をもって原発の再稼働、新増設に積極姿勢を示してきた。腰が据わらないのは常に中央の政治家である。天候に左右されない強靱なエネルギー基盤がなければ、経済発展などない。世界の常識である。

安倍晋三があえて明かした日本の恥部

安倍外交の包括的キャッチフレーズは「地球儀を俯瞰(ふかん)する外交」だった。スタッフによる英訳が冗長なこともあり（diplomacy that takes a panoramic perspective of the world map）、内外問わず、これだけ聞いてピンとくる人はいないだろう。

安倍には、安全保障を米軍に頼り、東アジアに視野が局限されがちな旧来の「アメリカ依存ローカル外交」や、福田康夫元首相流の「全方位土下座外交」では日本は持たない、国益を重視しつつ、より大きな国際的責任を担うことで局面を打開せねばならない、との強い意識があった。

そこで第2のキーワード「積極的平和主義」が重要となる。

２０１４年5月6日、安倍首相は、北大西洋条約機構（ＮＡＴＯ）本部の理事会において、7年ぶり2度目となる演説を行った。こう述べている。

空の自由、海の自由といった「国際公共財」を守り抜くため、より積極的な役割を果たさなければならない、と考えています。これが、私が掲げる「積極的平和主義」です。

後年安倍は、死の直前まで、継戦能力と抑止力を重視した防衛費大幅増運動の先頭に立つことになる。

ただ、このＮＡＴＯ演説の時期の安倍にとって、最大の関心事は、日本を「消極的平和主義」から脱却させるための法整備であった。その作業を経なければ、いくら防衛費を増やしても、自由主義圏共同防衛の周辺参加者たる状況は変わらない。

現在、憲法と集団的自衛権、集団安全保障、ＰＫＯなどとの関係について、議論を進めています。

そして列席のＮＡＴＯ幹部らを前に、安倍はあえて日本の恥部を明らかにする。

例えば、現在の憲法解釈では、ミサイル防衛のため、日本近海の公海で警戒に当たっている米軍のイージス艦が攻撃を受けたとしても、自衛隊はこれを守ることができません。単に見過ごすしかできない。それでよいのでしょうか。NATO加盟国と同じPKOに参加する自衛隊は、NATO加盟国の部隊がゲリラに襲われても、駆けつけて警護することができません。自衛隊は、NATOの部隊に警護してもらえるにもかかわらずです。果たして、それでよいのでしょうか。

よいわけがない。NATO本部の会議でここまで具体的な問題提起をした以上、新たな安保法制の整備は安倍にとって国際公約と言えた。退路を断った上で、翌年の法案作成、国会審議へと進むことになる。

NATOに加盟する資格

安倍は短命に終わった第一次政権の2007年1月にも、日本の首相として初めてとなるNATO理事会出席を行い、スピーチを行っている。

これに対する日本共産党の反応が興味深い(しんぶん赤旗「主張」2007年1月14日)。

安倍首相は国連憲章についてはいっさい言及せず、もっぱら日本とNATOが世界的課題の主役であるかのようにのべています。「グローバルな課題の解決に向けた責任感を共有」といい、「互いに持てる能力を発揮し、ともに行動する必要がある」とNATOを説得さえしています。

中露が安保理で拒否権を持つ国連は、「世界的課題」の解決に益々無力を露呈している。NATOとの連携を重視したとすれば、それは安倍の国際認識の正しさを証するものでしかない。しかし赤旗の安倍批判は続く。

憲法九条をもつ日本が、集団的自衛権を行使し軍事介入するNATOと協力関係を結ぶこと自体許されるはずがありません。

これはある意味、その通りである。第二次安倍政権の平和安全法制によって限定的に集団的自衛権が行使可能とされたとは言え、相互防衛条約であるＮＡＴＯに加盟する資格は、いまだ日本にはない（北大西洋条約の地理的要件が拡げられたとしても）。「自分は守ってもらうが他人は守らない」という話は通らないからである。

憲法改正ないし憲法解釈のさらなる変更によって集団的自衛権を、世界の他の国々同様、フルに行使可能としない限り、参加が認められる日は来ない。これも世界の常識である。

ＮＰＴ体制への危険な期待

２０２２年６月29日、ロシアのウクライナ侵略などの新情勢を受け、ＮＡＴＯ首脳会合に岸田首相が招待された。岸田はこう発言した。

ウクライナは明日の東アジアかもしれないという強い危機感を抱いている。力による一方的な現状変更の試みは、決して成功しないことを、国際社会は結束して示していかねばならない。

岸田の「危機感」がどこまで強いものだったかは別として、認識自体は正しい。続いて岸田はこう述べている。これも正しい。

今次侵略に際するロシアによる核兵器使用の脅しは、核不拡散体制に深刻なダメージを与えたのではないかと危惧する。日本の周辺では、北朝鮮の核・ミサイル開発の進展や核戦力を含む軍事力の不透明な形での増強が見られる。

最後の部分は、対中配慮から国名を挙げていないため分かりにくいが、要するに中朝露の核の脅威が高まっているという指摘である。

ならば論理必然的に、核武装を含む日本自身の抑止力の強化が喫緊(きっきん)の課題となろう。ところが岸田はここで突如現実に目を閉ざし、「消極的平和外交」の殻に閉じこもる。

日本は、現実的な核軍縮の取組においてもNATO諸国と協力していきたい。特に、国際的な核軍縮・不拡散の礎石(そせき)であるNPT(核兵器不拡散条約)体制の維持・強化がこれまで以上に求められている。

「ＮＰＴ体制の維持・強化」は、少なくとも軍事同盟の最高意思決定機関の場で論ずべきテーマではないだろう。岸田に回答が求められていたのは、もはや「ＮＰＴ体制の腐蝕（ふしょく）」が世界の常識となっている中で、自由主義圏全体の抑止力強化に日本はどう貢献するのかである。

ＮＰＴにあらぬ期待を掛けている限り、日本の安全は確保できない。そもそも中国、ロシアはこの不平等条約で当初から核兵器保有を認められている。北朝鮮は軍事利用しないという公約のもとＮＰＴに加盟し、「民生用原子炉」の開発に国際的支援を得た上で、「食い逃げ脱退」して核兵器を手に入れた（そもそもの狙い通りだが）。これが日本を取り囲む現実である。

岸田は、「広島選出の自分が核の惨禍（さんか）を知らないとは誰にも言わせない。広島、長崎に次ぐ惨禍を防ぐため、核抑止力の整備に乗り出す」と言えば言える立場にあるにもかかわらず、綺麗ごとの「核廃絶」姿勢に終始してきた。

２０２３年Ｇ７広島サミットも、岸田が議長を務める中で、踏み込んだ抑止戦略の協議より「核廃絶の願い」を優先し、強調する演出が目立った。自由主義圏の強靱化を恐れる腹黒い勢力は、密（ひそ）かにほくそ笑んだのではないか。

話を戻すが、「国際公約」通り、安倍政権は2015年5月に「平和安全法制」諸法案を国会に提出、野党の抵抗を排して9月に成立させた。

これにより、限定的ながら集団的自衛権の発動が認められ、ようやく日本防衛のために活動する米軍を直接支援・防護する体制が得られた（他の活動に従事する米軍は従来通り直接支援の対象外）。自衛隊による、他国PKO部隊に対する「駆けつけ警護」も可能になった（それまでの一方的に助けてもらう関係を改め、相互警護とした）。NATO諸国、とりわけ米国は、党派を超えてこれを歓迎した。

当然だろう。危険な状態に陥った米軍艦船や航空機を自衛隊が支援するか否かは、米兵の命に直接関わる問題である。共和党も民主党もない。

この新安保法制成立を阻止すべく、例えば法政大学教員の山口二郎は「安倍に言いたい。お前は人間じゃない。叩っ斬ってやる！」と国会前で絶叫したが、日本を守るために活動する同盟国の戦士を見捨てる方が「人間じゃない」だろう。

日本の左翼野党はいまだに、平和安全法制廃止を唱えているが、もし間違って彼らが再び政権を獲り、実行すれば、日米安保体制は確実に崩壊する。

上院における全会一致の追憶決議など、同盟国アメリカは明らかに安倍を類まれなる同志と捉え、その死を深く悼んだ。言い換えれば、「日本は安倍路線を引き継げ」という党派を超えたメッセージに他ならない。

米上院の「安倍追憶決議」を読み解く

２０２２年7月20日に成立した米上院の「安倍晋三元首相追憶決議」は内容的にも非常に示唆に富む。日本のマスコミと野党の多くは、安倍政治を「モリカケサクラ統一教会」で特徴づけるべく努めてきた。恥ずかしい話だが、一枚紙程度に簡明にまとめられた米上院決議の方が遥かに本質を突いた総括をしている。主要部分を見ておこう。

決議はまず、２００７年8月に安倍首相がインド議会で行った「歴史的演説」の意義を強調する。

この中で打ち出された「自由で開かれたインド太平洋」という概念がその後、クアッド（日米豪印4か国準同盟体制。日本政府は単に「日米豪印」と訳す）へと具体化、組織化されてきた。

安倍は、自由の海ではなく「抑圧の海」と化すことを狙う中共に、日印が連携して対抗する必要を説く。

日本とインドが結びつくことによって、「拡大アジア」は米国や豪州を巻き込み、太平洋全域にまで及ぶ広大なネットワークへと成長するでしょう。

中国共産党の関係者はよく、人口14億の国で自由選挙は無理だという。しかしほぼ同じ人口のインドで自由選挙が行われてきた事実が、この中共製「理論」への生きた反駁となっている。

もっとも、この日米豪印ネットワークの構築において、インドは、ロシアとの独特の軍事協力関係や、先進国に程遠い1人当たりGDPの低さ等から、しばしば「扱いが難しい」存在となる。

以前、ある元インド政府高官が会合の場で、「非同盟主義はインドの病気、憲法9条は日本の病気」と同病相憐れむ風に語り、なるほどと頷いたことがあった。

しかしインドは今、クアッドを通じて病を克服しつつある。また怪我の功名と言うべきか、「核の傘」を提供してくれる有力同盟国を持たなかったため、独自核抑止力の保有に否応なく進んできた。

米上院の「安倍追憶決議」はさらに、安倍が日米同盟の強化に尽くしたことを大きな功績としている。

決議は特に具体例を列挙していないが、私なりに整理すると次のようになる。

①安倍が主導して、自衛隊の米軍支援を強化する「平和安全法制」を成立させた（オバマ大統領時代の２０１５年）。

②トランプ政権初年度の２０１７年、朝鮮半島が一触即発の状況となった時、安倍は、軍事圧力を強めるトランプ路線を全面的に支持した。遠方のＮＡＴＯ諸国の場合と異なり、日本の支持は、在日米軍に対する兵站（へいたん）支援や米艦防護といった具体的協力に踏み込むことを意味した。在韓米軍基地を対北攻撃に使わせないと発言してトランプを憤怒（ふんぬ）させた文在寅（ムンジェイン）韓国大統領との違いは明白だった。ちなみにトランプは以後、安倍に信頼を寄せる一方、文在寅への軽蔑を隠さなくなる。有事に共に立ち上がらない国は同盟国とは見なされない。ないがしろにされるのは当然だろう。

③第５世代移動通信システム（５Ｇ）の政府調達からファーウェイ（華為技術）など中国

メーカーを排除するトランプの方針に、G7諸国中、安倍が最も早く同調した。

クアッドに見られる構想力に加え、以上のような行動力があったからこそ、安倍路線は、アメリカにおいて、超党派の支持を得られたのである。

そして中国への圧力強化では、突破力のあるトランプが安倍をリードした。北朝鮮政策では、外交常識を無視してとにかく前に出るトランプを安倍が制御した。名コンビだったと言える。

安保条約破棄を宣言できるアメリカ

先にも触れたが、もしトランプ時代に日本で鳩山由紀夫的な政権ができ、平和安全法制を破棄していたなら、収拾のつかない事態を迎えただろう。

アメリカでは憲法上、条約の批准（ひじゅん）に上院の3分の2の賛成を必要とする。高いハードルである。しかし条約の破棄については、大統領一個人の判断で行える（カーター政権が台湾との米華相互防衛条約を破棄したのに対し、上院の承認なしの破棄は無効として一部議員が訴訟を起こしたが、最高裁は「司法の判断になじまない」と却下した。これが判例となっている)。

トランプなら、日本の平和安全法制廃止に対し、報復として、日米安保条約の破棄を宣言したかも知れない。安保条約第10条は、「いずれの締約国も、他方の締約国に対しこの条約を終了させる意思を通告することができ、その場合には、この条約は、そのような通告が行なわれた後1年で終了する」と規定している。

破棄を通告すると同時に、米軍駐留経費の負担等に関して厳しい要求を日本側に突き付け、1年以内に飲まなければ実際に安保条約を終了させ、核の傘も外す。そう迫ってくる姿が目に浮かぶ。トランプが得意とした瀬戸際ディール（取引）である。

もっとも問題は野党だけではない。「安倍後」の日本外交は危うさを増している。

特にアメリカとの関係においては、首脳間の意思疎通はもちろん重要だが、背後の議会の動向にも目を配らねばならない。首脳の発言がそのまま国の政策になるとは限らないからである。

２０２３年初頭以降、バイデン政権とは様々に立場が異なる野党共和党が下院で多数を握った状況下では特にそう言える。

２０２３年４月３日、アメリカの対中政策のカギを握る一人、連邦議会のマイケル・

マッコール下院外交委員長（共和党）が超党派の議員団を率いて来日した（総員9名）。マッコールは、米議会における対中強硬派（ハードライナー）の代表格である。戦略物資の対中輸出管理強化において、バイデン政権は口だけで実行が伴っていないと厳しく追及し、また台湾に「防衛的兵器」だけでなく「抑止的兵器」（中国本土への攻撃力）も提供すべきことや、北京が台湾海上封鎖に出た場合、金融制裁を発動すべきことなどを主張してきた。

「対中強硬派」に冷たい岸田外交

そのマッコール外交委員長来日は日本にとって、米議会有力者と認識をすり合わせる重要な機会であったはずだが、信じがたいことに岸田政権は戦略対話を意図的に回避した。

マッコール一行は日本、韓国に立ち寄ったあと台湾に移動して3日間滞在したが、台湾の対応は、日本と対照的だった。まず頼清徳（らいせいとく）副総統がマッコールと会談し、蔡英文総統も中米、アメリカ訪問から帰国するや面談している。その間、游錫堃（ゆうしゃくこん）立法院長（国会議長）を中心とする台湾の有力議員や呉釗燮（ごしょうしょう）外交部長（外務大臣）ら政府要人も、十分時間を

木原官房副長官（左中央）に「表敬」させられたマッコール外交委員長（右中央）だったが
（House Foreign Affairs Committee MajorityTwitter より）

取って戦略討議を行っている。

韓国でも、尹錫悦（ユンソギョル）大統領が一行を執務室に迎えて会談した。朴振（パクチン）外相も外交部で一行と本格的な協議を行っている。

一方、日本はどうだったか。

外務省によれば、木原誠二内閣官房副長官が約30分間、マッコール外交委員長一行の「表敬を受けた」という。通訳が入るから実質的な対話時間は15分程度に過ぎない。

米側が発表した写真を見ると、日本側は、木原以外に官僚が数人テーブルについただけである。米国の上下両院の外交委員長は、日本の衆参の外交委員長と違い、非常に影響力の大きい枢要のポジションである。キャビネット・レベル（閣僚クラス）でない官房副長官が「表敬を受ける」というのは非礼であり、マッコールらは相当憤慨したと伝えられる。

岸田首相や林芳正外相はどう対応したか。

マッコール一行は木原副長官に「表敬」の後、日米議連（中曾根弘文会長）主催の夕食会に招かれ、LGBT利権法案に熱心な牧島かれん議員らの応援を受けた。岸田首相はこの場に一瞬だけ顔を出し、簡単な挨拶のあと一緒に記念写真に収まっている。わずか7分間の滞在だった。首相も一応会ったという「形づくり」と見る他ないだろう。なお、一行の滞在期間中、林外相の姿は影すら見えない。

米下院で共和党が多数を占める限り、マッコールは外交委員会を拠点に強い影響力を発揮し続ける。共和党政権ができれば、マッコール国務長官もあり得る。日本政府の対応は著しく外交常識を欠いていた。

安倍元首相が存命なら、マッコールらと別個に会談の場を設けたかもしれない。首相退任後も安倍は、来日した超党派の米上院議員らと複数回会っている。相手も「真の実力者」安倍晋三との面談を望んだ。安倍が抜けた穴の大きさを改めて感じないわけにいかない。

しかし、さらに重大な疑惑もある。岸田政権は、中国共産党政権を刺激することを恐れて、台湾問題で強硬発言が目立つ、しかも来日直後に台湾を訪れるマッコールとの戦略対話から逃げたのではないか。

中露との対峙(たいじ)が必至な2023年3月のG20外相会合（インドが主催）を、林外相が国会日程を理由に欠席した例に鑑(かんが)みれば充分あり得る。

実際、私が東京の日米外交筋（マッコール一行の訪日日程を調整した当局者）に確認したところ、当初は官邸での岸田・マッコール会談の予定が組まれていたという。それが直前に中止になった。指示したのは林外相だったという。

レーガン「力を通じた平和」

この間、アメリカと台湾の関係は、米議会主導で大きく動いていた。マッコールの東アジア歴訪は、その一環と捉える必要がある。

2023年3月下旬、中米2か国訪問のため台湾を出発した蔡英文総統は、往路にニューヨーク、帰路にカリフォルニアに立ち寄った。ニューヨークでは、民主党の下院トップ、ハキーム・ジェフリーズ院内総務および軍出身の超党派上院議員3名と面談した。カリフォルニアでは、大統領継承順位2位のケビン・マッカーシー下院議長（共和党）が、中国問題特別委員会のマイク・ギャラガー委員長ら超党派のメンバーを伴って、蔡総統と本格的な会談を行った。

場所はロナルド・レーガン大統領記念図書館。マッカーシーと蔡英文は、並んでレーガンの墓にも詣でている。

これは北京と世界に向けた象徴的なメッセージであった。レーガンは、「一発の弾丸も撃たずに冷戦を勝利で終わらせた」ソ連崩壊の立役者である。

「力を通じた平和」を掲げ、ソ連は「悪の帝国」であって潰さねばならず、また潰せるとの信念のもと、大々的な軍備拡張を行った。並行して、ソ連によるテクノロジー窃取を防ぐべく輸出管理を格段に強化した。ウイルスを仕込んだ基幹部品をKGBにつかませて重大事故を起こさせるなどのカウンター攻撃も行っている。

すなわち、台湾首脳が米国のハードライナーと並び立ち、レーガン戦略を受け継いでいくとの姿勢を明示したわけである。

対して中共は台湾を取り囲む威圧的軍事演習で応えたが、マッコール外交委員長は、

「予想通りの反応だ。彼らの恫喝は我々の決意を強化するだけだ」とコメントしている。日本のみが、ゆるい外交を続けていてはならない。

拉致をめぐる「党内闘争」

さてビル・ハガティ上院議員（共和党。トランプ政権下、駐日大使を務めた）を主提案者とする安倍追憶決議は、北朝鮮による拉致問題も取り上げ、安倍が「疲れを知らず努力した」と銘記している。

安倍は、死の直前においても、条件が整えば、首相特使として北朝鮮に飛ぶことを視野に入れていた。理念、国益観念が明確で政界において誰よりも拉致問題を知る安倍が特使なら安心できた。その道を閉ざした暗殺犯に、改めて強い憤りを覚える。

「安倍は拉致解決のため何もしなかった」といった批判が日本国内の親北勢力から出されているが、筋違いである。

それら勢力の典型的主張は、様々な対北援助を行うことで相手を和ませ、拉致被害者についてては「合同調査委員会」を作って調査に当たるというものである。安倍はこうした茶番劇を拒否した。援助をただ懐に納められ、もみ消し工作に協力させられるだけだからである。北は被害者を完全管理しており、調査など必要ない。

拉致問題に関して安倍は、時に党内有力者に対しても戦闘的言辞を厭わなかった。一例を挙げておこう。

2008年5月、自民党長老の山﨑拓（1936年生。安倍より18歳年上）が「日朝国交正常化推進議連」を立ち上げ、北朝鮮への制裁解除を公然と主張し始めた。山﨑と言えば、化石左翼・辻元清美の後ろ盾を自任して応援演説に赴くなど、理念と判断力の欠如で知られた男である。

以後、山﨑の宥和的な動きに対し安倍首相が、「国会議員が政府よりも甘いことを言っては、政府の外交交渉能力を大きく損なう。百害あって一利なしだ」と批判し、山﨑が「（安倍の考えは）幼稚だ」と反発する展開となった。

安倍はさらに、「（山﨑は）日本語能力がないのではないか。百害あって利権ありと言いたくなる」と鋭い言い回しで追撃している。

党の長老相手でも、有害な言動は放置せず、しっかり叩く。安倍の求心力を支えた一面であった。

なお山﨑の盟友で、同じく辻元清美ファンでもあった加藤紘一元自民党幹事長が、山﨑を援護すべく舞台に躍り出て、次のような発言をしている。

国家と国家の約束だから、（帰国した拉致被害者5人を北に）戻した方がよかった。安倍さんを中心に返すべきでないとなったが、その辺が今、日朝の間で打開できない理由だ。「また来てください」と何度も何度も行き来できたはず。そこが外交感覚の差だ。

拉致被害者を北に「戻した」とすれば（この表現自体おかしく、「意に反して強制的に送り返した」ならばと言うべきだろう）、「偉大な将軍の懐に抱かれて暮らすことに決めた」云々の記者会見をさせられ、家族と共に日本に帰還する夢は絶たれたはずである。

加藤に国際常識は期待しないにせよ、多少なりとも政治家としての矜持（きょうじ）があるなら、「拉致被害者を北に戻せ」ではなく、「私を身代わりに北に送ってくれ」と申し出るべきだった。

老後の趣味に「反原発」を選んだ小泉純一郎も併せ、一時華やかな存在だったYKKの

3人はいずれも、ただ安倍首相の足を引っ張るだけの「お荷物」に成り果てていた。

「自民党有力者」の恐るべき無知

ここで「加藤の乱」に触れておこう。山﨑拓の回顧録『YKK秘録』(講談社)を読むと、登場人物たちの想像を超える無定見ぶりに呆(あき)れさせられる。

2000年暮れ、当時「自民党のプリンス」と言われた宏池会会長の加藤紘一が山﨑拓(山﨑派会長)と組んで、野党の内閣不信任決議案に賛成することで森喜朗政権を倒し、加藤政権を樹立しようと謀(はか)った。しかし古賀誠を中心に宏池会の半数以上が加藤に反旗を翻(ひるがえ)したため、計画はついえる。

この時、加藤、山﨑が連携を図った野党側の中心人物は、仙谷由人、菅直人、枝野幸男(以上、民主党)、小沢一郎(自由党)らであった。見事に理念を欠いた大衆迎合主義者揃いである。

森内閣不信任案の採決当日、すでに敗北を悟った加藤が、派閥の会合で、自分と山﨑だけで賛成票を投じに行くと宣言し、「あなたは大将なんだから1人で突撃なんて駄目だ」

と必死に止める谷垣禎一らに肩を揺さぶられ涙を流した図は、平成政治史を戯画的に彩っている。驚くべきは、そのあとの加藤の行動である。山﨑はこう記している。

2人を乗せたハイヤーが議事堂に着いた時、「あろうことか、加藤の口から信じられない言葉が発せられる。『やっぱり戻ろう……』」。しかし、ホテルへ帰る道すがら、ある長老政治家から頑張れと発破を掛ける電話が入る。2人は再び議事堂に取って返した。
「ところが、また加藤の心が折れ、2人ともに欠席することになってしまった」。ホテルに戻った山﨑は脱力してソファに横たわる。「すると三度、加藤が『拓さん、行こう』と言うではないか」。もういい、山﨑は手を振った。

加藤は1人でホテルを出たが、案の定というべきか、すぐに戻ってきた。その晩、私と加藤は痛飲した。

何とも呆れた薄志弱行ぶりである。当時、クーデター阻止に奔走した野中広務自民党幹事長を加藤は、「野中さんは、戦いをする時はもっと冷静になったほうがいい。私は野中さんより修羅場をくぐっている」と揶揄し余裕を見せていたが、実際にもろくもくずおれたのは加藤の方だった。

加藤の並外れた不見識は、すでに北朝鮮問題において明らかだった。西岡力『闇に挑む！』（徳間文庫）から引いておこう。

1995年に、自民党大幹部の加藤紘一さんが当時の政調会長でしたが彼が中心になって、日朝の本交渉なども何も始まらない、拉致問題についてもあるいは日本人妻の里帰り問題についても北朝鮮が何も譲歩を見せない中で、事実上ただでコメを50万トン出しました。加藤紘一さんに直接会って「なぜコメを出したのか」その目的を聞きましたら、彼は日朝交渉再開の雰囲気作りのためと言いました。

この点に関しては、『YKK秘録』に裏話が書かれている。1995年3月初頭、加藤が深夜、山﨑に電話を掛けてきたという。

社会党系の人脈で日朝国交正常化問題が水面下で話し合われている。自民党で主導権を握る必要がある。

加藤によると、日朝の有力者が秘密接触し、「日本から食糧援助があれば、北朝鮮は核・ミサイルの開発を凍結する」話になったという。山﨑は、「北朝鮮の食糧難が余程深刻なのだと推察された」と感想を記している。

「雰囲気作り」云々もさることながら、食糧支援を行えば北朝鮮が核ミサイル開発を止めるなどという発想が一体どこから出てくるのか。恐るべき無知と言わざるをえない。

安倍は、50代半ばで急逝した1学年上の中川昭一らと共に若手議員の頃から、こうした理念、判断力、決断力と三拍子欠いた党内外の勢力と闘ってきた。加藤、山﨑以外にも野中、河野洋平など親朝・媚中の「自民党有力者」は枚挙にいとまがない。野党となれば、軒並みと言ってよいほどである。

中川、安倍とも二世、三世議員だが、信念に基づいて、敢えて党内守旧派やマスコミと衝突する道を選び取った。いずれもまだまだ活躍すべき時に命を落としたのは痛惜に堪えない。

彼らには、腹黒い勢力相手にひるまないだけの国際常識と胆力があった。

2. アメリカの本音

サダム・フセインに「9条の理念」を説いた結果

戦後日本が「平和憲法の原理原則」、人によっては「国是」とまで称してきた3本柱、①非核三原則、②専守防衛、③集団的自衛権不行使を、もし同盟国アメリカが採用したらどうなるか。当然、「核の傘」も日米安保条約もなくなる。

人権も国際法も眼中にない核保有国中国、ロシア、北朝鮮に囲まれながら庇護(ひご)の手を失った日本は、直ちに危機的状況に陥るだろう。

アメリカに「絶対採用しないでくれ」と頼まねばならない「政策」が原理原則として成り立つはずがない。ましてや「国是」とは欺瞞(ぎまん)の極みだろう。

右の3つの「原則」は、敵方が採用すると助かるが、間違っても自らが採用してはならない自傷的政策の典型である。

1990年8月、イラク軍がクウェートに侵攻し、翌年1月、米軍を中心とする多国籍軍が反撃作戦を開始した。その直前、当時の土井たか子社会党党首がイラクに飛んで独裁者サダム・フセインと会い、「憲法9条の理念」を説いた。

サダムの答えは、「あなたの言う通りだ。感動した。その話をぜひブッシュにしてやってくれ。ところでクウェートはイラクの19番目の州であり、内政問題だ。外国の干渉は受けない」だった。

国連常任理事国ともなれば、さすがにサダムのような露骨な侵略には出ないだろうという幻想は、プーチンによって見事に打ち砕かれた。

違いは、プーチンは「核を持ったサダム・フセイン」であり、より対処が難しいという点だけだろう。

中国、ロシア、北朝鮮ともに、日本の9条改正の動きを批判し、牽制する。自縄自縛(じじょうじばく)に陥った日本が都合よいからに他ならない。9条護持論者は、これら腹黒い勢力の目には「役に立つバカ者」(useful idiot)の典型と映っていよう。

ちなみに私はフェイスブックやツイッターでは、非核三原則を「非核三偽善」、専守防衛を「専守呆然」と言い換えている。

自衛隊内部からも疑問の声

憲法に「自衛隊」を明記するという自民党の改正案（２０１８年3月24日発表の「素案」）に対し、他ならぬ自衛隊の内部から疑問の声が出ている。なぜか。

まず自民党案を提示しておこう。

第9条の2（新設）

①前条の規定は、わが国の平和と独立を守り、国及び国民の安全を保つために必要な自衛の措置をとることを妨げず、そのための実力組織として、法律の定めるところにより、内閣の首長たる内閣総理大臣を最高の指揮監督者とする自衛隊を保持する。

②略

これに対して憲法学者の西修が、①は冗長過ぎるとして以下のような私案を示している（産経新聞２０２２年5月2日「正論」）。

①日本国は、その平和と独立を守り、国および国民の安全を保つための実力組織として、法律の定めるところにより、内閣総理大臣を最高の指揮監督権者とする自衛隊を保持する。

確かにこの方が幾分すっきりしている。もっとも自民党素案、西私案ともに、「自衛隊」という組織名を憲法に書き込む点では同じである。しかしまさにその点に、自衛隊関係者から再考を求める声が出ている。理由は以下の通り。

「自衛隊」という名称では、1950年8月に占領軍の指示で創られた「警察予備隊」の後継組織（武装レベルの高い機動隊）のイメージが残り、さらに「隊」という漢字は「部隊」に通じることから、小規模の集団を思わせる。国際標準にならってより構えが堂々とした「国防軍」の方がよいとの意見である。確かに国際常識に照らせば、「国防」や「軍」という言葉をことさら避けるのはおかしい。

と言えば直ちに、「国防軍では公明党や左派野党が受け入れない。改正を遅らせるだけ」という反論が出るだろう。しかし、組織の具体名を憲法に書き込まない行き方がある。

憲法の次元では、「自衛のための実力組織を保持する」とのみ記し、組織名は法律の次元で規定すればよいだろう。法律次元なら、憲法改正の実現後に、衆参の過半数の合意で決めることができる。現行の自衛隊も法律次元の名称である。

憲法に自衛隊と書くか国防軍と書くかで、改正派の間に軋轢を生む必要はない。この問題について、河野克俊元統合幕僚長は、次のように敷衍している（産経新聞2022年5月14日）。

まず第一歩として（他党の賛同を得やすい）自衛隊明記を行い、自衛隊は合憲か違憲かという不毛な議論から卒業することには賛成する。ただし、本来は9条を改正して国防軍の保持を明記し、自衛隊法を廃止して他国のようにネガティブ・リスト（やってはいけない例外を規定）の国防軍法を制定すべきだ。

繰り返すが、一旦憲法に「自衛隊」と書き込んでしまうと、再修正にはまた衆参の3分の2の賛成と国民投票が必要となる。憲法には組織名は書かず、当面「自衛隊」の名称を維持しつつ、「国防軍」への名称変更を含めた自衛隊法改正を考えるのが正解ではないか。

なお自民党の改憲「素案」は憲法前文には触れていない。しかし現実から著しく遊離した現行の前文を放置するわけにはいかない。第２弾の課題と捉えるべきだろう。

前文は特に必要ない

１９４６年７月、占領軍総司令部（ＧＨＱ）が骨格を書いた新憲法案の衆院審議の場で、ある社会党議員が、前文の「平和を愛する諸国民の公正と信義に信頼して」という箇所は「委任統治国であるかのような弱々しい観念」だと批判している。正論だろう。

アメリカは当初、日本の軍事的無力化を占領目的とした。その観点から非現実的な国際認識を並べた前文は、一旦すべて削除するのが正しい。ちなみに明治憲法には前文はない。直ちに個々の規定に入っている（制定経緯の説明などは天皇の「告文」と「憲法発布勅語」に委ねられている）。

「本家」のアメリカ憲法も、前文は一応あるが、以下のごとくわずか数行にとどまっている。

われら合衆国の国民は、より完全な連邦を形成し、正義を樹立し、国内の平穏を保障し、共同の防衛に備え、一般の福祉を増進し、われらとわれらの子孫のために自由の恵沢を確保する目的をもって、ここにアメリカ合衆国のためにこの憲法を制定し、確定する。

憲法に前文は特に必要ないし、設けるにしても、簡潔を旨とすべきだろう。冗長かつ反軍平和主義的な憲法前文を持つマッカーサー草案を受け取った当時の幣原喜重郎内閣は、「対案」（１９４６年3月2日案）において、前文をすべて削除している。ＧＨＱが認めず復活となったものの、問題意識においては当時の政府の方が現在にまさっていた。

実は改憲のハードルの高さは日米でほぼ変わらない

現行憲法の草案は、20人程度のＧＨＱ要員が10日弱の短期間に慌しくまとめたものである（１９４６年2月4日から作業を始め、8日後の12日に完成）。その後、日本側の要望で施された修正も、すべて占領軍の承認手続きを経ている。

先述のとおり、憲法９条と前文に関する限り、立法者意思すなわち占領軍の意思ははっきり日本の軍事的無力化にあった。そのため、憲法改正規定も厳しくなっている。

もっとも、１９５２年４月28日に主権を回復（サンフランシスコ講和条約が発効）した後、今日まで憲法改正ができない責任をアメリカに押し付けるわけにはいかない。

確かに衆参両院で「総議員」の３分の２の賛成が必要という改正発議要件は、「出席議員」の３分の２とする米国より厳しい。しかし、若干厳しいだけである。

自衛のために軍を持つという内容なら、アメリカ議会においては99％以上が即刻賛成するだろう。

日本でも、例えば国家安全保障会議（ＮＳＣ）設置法案では、賛成が総議員の約88％に達している（２０１３年11月27日。参院）。国家の存立に関わる問題で総議員の３分の２というハードルは決して高いものではない。

なお日本国憲法は、様々な点でアメリカ憲法をモデルとするが、重要な違いもある。改憲規定もその一つである。

米国憲法では、「連邦議会は、両院の３分の２が必要と認めるときは、この憲法に対する修正を発議し」（ここまでは日本国憲法とほぼ同じ）の後に、「または３分の２の州の立法部が請求するときは、修正を発議するための憲法会議を召集しなければならない」との一節が続く。

すなわち、中央政界が動かない場合、地方から憲法改正を促す第2のルートがある。中央議会を通じた1ルートしかない日本国憲法のもとでは、国会議員が率先して行動を起こす責任が、米国の場合より大きいと言わねばならない。

アメリカで実際に第2のルートが使われた例はないが、それは地元の突き上げを感じた中央が自ら率先して動いたためである。

米国の改正手続きでは、全国一斉の国民投票はなく、州ごとに賛否を問い、4分の3以上の州議会が賛成した段階で成立となる。

英国からの独立以降今日まで、米連邦議会は憲法改正案を33回発議し、うち27回で成立に至っている。

要するに改憲のハードルの高さは、日米でほぼ変わらない。「3分の2の壁」は何ら無為の言い訳にならない。

「尖閣諸島を守る必要はない！」

アメリカは日本の憲法改正の動きをどう見ているのか。

ワシントン在住のジャーナリスト古森義久の注目すべき現場報告をまず引いておこう。舞台は米議会である（古森『戦争がイヤなら憲法を変えなさい』飛鳥新社）。

２０１７年2月28日、下院外交委員会のアジア太平洋小委員会が開いた公聴会で、民主党を代表して発言したカリフォルニア州選出のベテラン政治家ブラッド・シャーマン議員が次のように日本を厳しく指弾した。

アメリカは尖閣諸島を守る必要はない！　日本は同盟相手のアメリカが他国から軍事攻撃を受けても、助けようとしないからだ。いつも憲法を口実にする。

シャーマンは両親ともにロシア系ユダヤ人の家庭に育ち、長年、米・イスラエル間の安保体制強化を唱えてきた人である。対中強硬派でもあり、中国に対する最恵国待遇を撤回すべきことや、ウイグル人弾圧に関与した当局者への制裁を早くから訴えてもきた。
同議員はさらに日本批判のトーンを上げつつ、こう続けた。

日本は、憲法上の制約を口実に、アメリカの安全保障のためにほとんど何もしない。それなのに、アメリカが膨大な費用と人命とをかけて、日本側の無人島の防衛を引き受けるのは理屈に合わない。日本側はこの種の不均衡をいつも自国の憲法のせいにする。かといって、「では憲法を変えよう」とは誰もいわない。

シャーマン議員は、アメリカ中枢部を襲った同時多発テロにも言及し、日本の「不実」を突く。

2001年9月11日の同時多発テロ事件で、アメリカ人3000人もが殺されたとき、NATOの同盟諸国は集団的自衛権を発動し、アフガニスタンにおけるアメリカの対テロ戦争に参戦した。だが日本は憲法を口実にして、アメリカを助ける軍事行動を何もとらなかった。「日本はもう半世紀以上もアメリカに守ってもらったのだから、この際、憲法を改正してアメリカを助けよう」と主張する日本の政治家が一人でもいただろうか。アメリカなどが国際的な紛争を防止して、平和を保とうと努力するときも、日本は血も汗も流さない。憲法のせいにするわけだ。

この時シャーマンが、同時多発テロでは日本人24人も犠牲になっている事実に触れたなら、共に立ち上がらない日本の「異様さ」は一段と際立っただろう。

最高レベルにおける、あからさまな不満の噴出と言えたのが、「外交的配慮」をしばしば公然と侮蔑したトランプ前大統領の言動だった。

一例だけ挙げると、２０１９年6月26日、Ｇ20大阪サミットに向かう直前、あるインタビューに対し、トランプは、日米安保条約の片務性を厳しくやり玉にあげた。

もし日本が攻撃されれば、我々は第3次世界大戦を戦うことになり、あらゆる犠牲を払って日本を守る。しかし、もしアメリカが攻撃されても日本は我々を助ける必要は全くない。彼らはソニー製のテレビでそれを見ていられる。

大阪サミット後の記者会見でもトランプは同様の趣旨を歯に衣着せず語っている。

誰かが日本を攻撃すれば、我々はその誰かを相手に全力をもって戦闘状態に入る。もし誰かがアメリカを攻撃しても、日本は同じことをする必要がない。不公平だ。

これら一連のトランプ発言には「アメリカの本音」が表れている。単なる揺さぶり戦術と捉えるのは間違いである。

もっともトランプにおいても、無責任で偽善的な政党やマスコミが多い日本において「安倍は頑張っている」との感覚はあったろう。だから不満を言いつつも、安倍との盟友関係は一貫して大事にした。

先にも触れたとおり、2017年に朝鮮半島の緊張が極度に高まった時、安倍が、軍事オプション発動も辞さないトランプの姿勢を全面的に支持したことも大きかった。

冷たく言い放った米アジア担当者

安倍政権の功績の筆頭に挙げられるのが「平和安全法制」を成立させたことだが、その準備作業として「武力行使の新3要件」を閣議決定している（2014年7月1日）。

この憲法解釈変更により、従来全面的に否定されてきた集団的自衛権の限定的行使を可能とした。中核部分のみ引いておこう。

①「我が国と密接な関係にある他国に対する武力攻撃が発生し、これにより我が国の存立が脅かされる事態に至ったこと」
②「他に適当な手段がないこと」
③「必要最小限度の実力行使にとどまるべきこと」

②と③はいわば当然のことで、ポイントは①である。ともに活動中の米軍艦船や航空機が攻撃を受けた時、自衛艦や自衛隊機は「敵前逃亡」して、集団的自衛権の発動となる事態を避けねばならないといった馬鹿げた話は、この新要件を法制化できれば、なくなる。

私はかつて、日本の「退散劇」に米政府高官が怒りをあらわにする場に居合わせたことがある。

2007年11月、拉致被害者家族会、拉致議連のメンバーとともにワシントンを訪れた時（私は「救う会」副会長の立場で参加）、国防総省にも行き、ジェームズ・シン筆頭国防次官補代理（アジア担当）との面談に臨んだ。

通された執務室の壁には「拉致　日本は見捨てない」と書かれた日本政府作成のポスターが額装して掲げられていた。米側による同情と連帯の意思表示だった。

一通り挨拶や訪問趣旨の説明が済んだところで、中井洽拉致議連会長代行（民主党。以下、肩書はいずれも当時）が、壁のポスターを指差しつつ、「大変ありがたいが、アメリカ政府が北朝鮮のテロ支援国指定を解除するなら、日本を見捨てたと受け取りますよ」と述べた。

すると、にこやかに応対していたシンの表情が一変し、中井の方に身を乗り出しながら、「今あなた方は、インド洋で我々を見捨てていますけどね」と冷たく言い放った。

当時、アフガニスタンでは、タリバンとテロ組織アルカイダの残党に対する、米軍中心の掃討作戦が続いていた（NATOの欧州諸国軍、豪州軍なども参加）。

日本は、憲法上の制約を理由に「戦闘地帯」には赴かなかったものの、海上自衛艦によるインド洋上での給油活動という形で、一定程度目に見える人的貢献を行っていた。

ところが我々が訪米する約十日前、活動の根拠法たる「テロ対策特別措置法」が野党民主党などの反対で延長されずに失効、海上自衛艦は撤収を余儀なくされていた。シンが「あなた方は我々を見捨てた」と難じたのはそれを指す。

平沼赳夫拉致議連会長が、「私は無所属だけれども、あの法案には賛成しました」と場の緊張をほぐそうとしたが、シンはなおも、「ミスター・オザワには言いたいことがある」と小沢一郎民主党代表を名指しで批判するなど、ピリピリした空気は最後まで消えなかった。

「国連のお墨付きがない米国の戦争には協力できない」という小沢の発言は、当時米国メディアでも取り上げられ、同盟より中露が拒否権を持つ国際サロンの方を重視するのかと、特に保守派の間で反発を買っていた。当然の反応だろう。

北朝鮮と米国が戦争状態に入ったとしても、安保理決議がない限り（すなわち中露が容認しない限り）、日本は米軍支援に当たらないのか、それが小沢民主党の「同盟政策」なのかと、非難混じりの質問を私自身アメリカで何度か受けた。

その後「悪夢の民主党政権」が現実のものとなり（２００９年8月30日の総選挙で大勝して政権獲得）、２０１２年12月16日の総選挙で大敗して下野するまで3年強続いた。

先に触れたとおり、第二次安倍政権下の2015年9月19日に平和安全法制が成立した。その間、衆院特別委員会の採決の際には、民主党議員たちが「自民党感じ悪いよね」「アベ政治を許さない」などと大書したプラカードを掲げながら議長席に押し寄せ、辻元清美が涙声で「お願いだから、やめて!」と叫ぶなど正視に堪(た)えない三文パフォーマンスが繰り広げられた(7月15日)。

アメリカはお人よしではない

同様の光景は参議院でも繰り返されている。特別委員会での採決(9月17日)を妨害しようと、委員長に背後からサルのように飛び掛かった小西洋之議員(民主党)を佐藤正久議員(自民党)が拳で押し返した場面が、写真ではあたかも顔面にストレートを打ち込んだように見え、国際的に話題となった(手のひらを使うと突き指のリスクがあるうえ、相手の目に指が入るなどかえって危険。小西の顔の脂(あぶら)が手のひらに付くのも避けたい。佐藤の判断は合理的だった。もっとも、その後しばらく「パンチ佐藤」と呼ばれることになる)。

当日の小西のツイートを追うと、その変遷ぶりは滑稽ですらある。
「誰にも暴力は振るってないし、また、振るわれてもいません」（17時41分）
「強行採決の混乱の中で、私が誰かから殴られたのではないかと心配を頂きましたが、下から二人がかりで引きずり降ろされたタイミングと、丁度重なって見えるだけでした」（18時01分）
「国民の憲法を守るため必死で気付きませんでしたが、顔を殴られていました」（23時42分）
「強行採決の際に受けた殴打ですが、映像等にあるように事実です」（23時55分）と説明が変わっている。そもそも気が付かない程度の接触を「殴られた」とは言わないだろう。笑止千万と言う他ない。
佐藤と小西は因縁があり、それから数週間後、「自衛隊員の母親の望みも虚しく、自衛隊員は他国の子供を殺傷する恐怖の使徒になるのである」（2015年9月30日）とツイートした小西に対し、佐藤が「いくら法案反対でも非常識過ぎる。注意する民主議員はいないのか！」と厳しく批判した（小西は翌日、文章を「集団的自衛権行使を受ける国の子供達は自衛隊員を『恐怖の使徒』と思うだろう。違憲立法から自衛隊員を救わなければならない」に微修正）。

小西の厚顔（こうがん）ぶりを嗤（わら）うのはたやすい。しかし彼が、この種の欺瞞的で非常識な言動を繰り返しつつ、当選を重ねている事実は重い。憲法改正はこうしたデマゴーグの群れとの戦いになる。

ともあれ成立した平和安全法制を、米側は党派を超えて歓迎した。立憲民主党には、「平和安全法制廃止」を唱えつつ、「日米同盟が基軸」と発言する議員もいるが、米側から安保条約を破棄される可能性には考えが及ばないようだ。

米議会には軍歴を有する議員が多い。軍人を親族縁者に持つ議員まで含めれば、「軍にゆかりの深い政治家」はその数倍、数十倍に上るだろう。

米軍将兵の命が懸かった問題で、「平和憲法」があるから動けない云々の言い訳を許してくれるほど、アメリカはお人よしではない。相互防衛システムのＮＡＴＯこそが同盟の雛形（ひながた）という立場から見れば、日米「同盟」という言葉は多分にリップサービスである。日本が一旦踏み込んだ米軍への協力を後退させたと判断すれば、当然厳しく対処してこよう。

権利はあるが行使できない――世界の非常識

国連憲章は、個別的自衛権と集団的自衛権を特に区別せず、一括り(ひとくく)に自衛権として扱っている。それが国際常識であり、歴史的事実にも適う(かな)。

ところが安倍政権が憲法解釈を部分修正するまで、歴代日本政府は、「国際法上、わが国が集団的自衛権を有していることは、主権国家として当然である」が、日本国憲法が「わが国に対する武力攻撃を排除する」個別的自衛権しか認めていないため、集団的自衛権の行使は一切許されないとの立場を採ってきた。

権利はあるが行使できない。文字通りの自縄自縛である。こうした主張は、世界中で日本にしか見られない。

仮にＮＡＴＯが規約を変更し、アジア諸国の参加を認めても、日本はメンバーになれない。自国を守るとき以外は集団的自衛権を発動しないとの立場を採っているため、基本原則において参加資格を欠くことは先に触れたとおりである。

他の加盟国には日本救援に赴いて欲しいが、日本は赴かないといった虫のよい話が通用するはずがない。

それが通用しているかに見えるのが日米安保体制だが、ここにおける日本は、通常の概念では、アメリカの同盟国ではなく保護国である。

日本の歴代首相や外相は、日本の領土が侵略された場合の外国の支援について、「アメリカは累次の機会に、あらゆる種類の能力を用いた日本の防衛へのゆるぎないコミットメントを表明している」との趣旨を国会答弁してきた。

しかし有事の際、米軍がどの程度日本を支援するかは、日本側の戦いぶりや米軍に対する協力体制、米国本土に対するリスク計算などによって変動する。

日本が無抵抗で降伏する最悪のシナリオにおいては、アメリカは来援どころか、米軍基地や周辺インフラを敵国に使わせないため、存分に破壊した上で立ち去るだろう。

日本国憲法はGHQ民政局の原案に基づくが、その原案では自衛権を個別的と集団的に分けるような発想はなかった。

朝鮮戦争勃発（1950年6月）以降になると、日本が集団的自衛権を行使するよう米側から積極的に促す場面も多くなった。

その証左と言えるのが、占領末期に締結された旧日米安保条約である（1951年調印、翌年発効）。ここでは日本による集団的自衛権の「行使として」結ばれたと明記されている。引いておこう。

国際連合憲章は、すべての国が個別的及び集団的自衛の固有の権利を有することを承認している。これらの権利の行使として、日本国は、その防衛のための暫定措置として、日本国に対する武力攻撃を阻止するため日本国内及びその附近にアメリカ合衆国がその軍隊を維持することを希望する。

もっとも米側は、「継続的かつ効果的な自助及び相互援助」をなし得る国としか防衛取決めはできないとした上院ヴァンデンバーグ決議（１９４８年）に基づき、日本を守るために米軍を「使用することができる」という義務的色彩の薄い表現しか認めなかった。

この点を修正し、米軍の関与をより明確化することが、岸信介政権（１９５７年2月25日－１９６０年7月19日）時に本格化した安保改定交渉の眼目となる。

重大な禍根を残す憲法解釈

ところが岸政権に先立つ鳩山一郎政権が、１９５６年、国会での野党の追及に窮したあげく、重大な禍根を残す憲法解釈を打ち出してしまった（ある衆院議員の質問主意書に対する答弁書の形)。中心箇所のみ引いておく。

わが国が、国際法上、このような集団的自衛権を有していることは、主権国家である以上、当然であるが、憲法第九条の下において許容されている自衛権の行使は、わが国を防衛するため必要最小限度の範囲にとどまるべきものであると解しており、集団的自衛権を行使することは、その範囲を超えるものであって、憲法上許されないと考えている。

旧安保条約の規定からの明らかな後退だった。

安保改定交渉の過程でアメリカ側が用意した草案には、「(日米両国は) 自助及び相互援助により、武力攻撃に抵抗するための個別的及び集団的能力を維持し発展させる」という積極的文言が盛り込まれていたが、岸首相は、前内閣の憲法解釈に縛られ、この米側提案を拒(こば)まざるを得なかった。

その結果、新安保条約もやはり、対等の相互防衛条約とはほど遠い内容となり、それに応じて、有事の際の米側の来援義務も「自国の憲法上の規定及び手続に従って共通の危険に対処するように行動する」という曖昧な形にとどまった。

「北大西洋地域の安全保障を回復し維持するため、攻撃を受けた加盟国を、軍事力の行使を含めて支援する」というＮＡＴＯの規定に比べ、明らかに弱い表現となっている。

要するに、米側は侵略に対する日米の「集団的能力の維持発展」に前向きであったが、日本側が旧安保時代以上に内向きの姿勢を取ってしまったのである。

バイデン政権は「同盟国との協調」をうたい文句としたが、裏を返せば、遠隔地域における局地戦は基本的に同盟国に任せるというスタンスだった。オバマ時代のキャッチフレーズを用いるなら「背後からリードする」であり、「トランプに比べ同盟国に優しい」は希望的観測に過ぎない。

拉致被害者「救出」を禁じる憲法

日本政府の憲法解釈のいびつさは、拉致問題との関係において最も顕著である。

北朝鮮が体制崩壊して混乱状態に陥り、米軍から、「大量破壊兵器の確保と共に拉致被害者の救出にも当たる。自衛隊も一緒に行こう」と呼びかけられた時、現行の憲法解釈によれば、日本政府はこれを断わらざるを得ない。

拉致問題の解決に意を尽くした安倍政権下でも、結局積み残された課題の一つである。経緯を振り返っておこう。

１９９１年3月13日、衆院安保特別委員会において、小松一郎政府委員（外務省条約局法規課長）が「身体、生命に対する重大かつ急迫な侵害」にさらされた在外邦人の救出に関して、要旨次のように答弁した。

その所在地国が、外国人に対する侵害を排除する意思または能力を持たない場合、保護・救出のためその本国が必要最小限度の武力を行使することは自衛権の行使として認められる場合がある。

混乱状態に陥った北朝鮮における邦人救出は、当然その「認められる場合」に当たるだろう。

ところがこの外務省課長答弁から二十数年後、平和安全法制審議中の参院予算委員会において安倍首相は、拉致被害者救出に関して、次のように答弁した。

わが国に対する武力攻撃が発生しているわけではない北朝鮮の内乱のような事態については、直ちに自衛権発動の要件に該当するとは言えない。自衛隊の特殊部隊を救出のため派遣するといった対応を取ることは憲法上難しい。

不可解なことに「日本の心を大切にする党」（中山恭子党首）を除き、どの党もこの解釈に異議を唱えることはなかった。

安倍政権が集団的自衛権の限定行使に踏み込んだのは大きな功績だったが、法案審議をスムーズに進めるため、不必要に妥協した面があったとすればここだろう。

黒澤聖二（自衛隊の元統合幕僚監部首席法務官。その後、国家基本問題研究所事務局長）によれば、在外自国民保護を目的とした実力行使が自衛権の適用範囲か否かについて、国際的な定説はない。

しかし日本政府は、米国による在イラン大使館員救出作戦（1980年）に際し、「自衛権を行使しての国民の救出は、一般国際法上の問題として正当化される」と国会答弁するなど、「自衛権を主張する米国政府に近い国際法解釈をしてきた」（黒澤「国基研ろんだん」2017年1月17日）。

ならばその「自衛権」解釈を、拉致被害者救出にも当てはめればよかったのではないか。安倍首相は、「動乱時には米軍による救出という体制が取れるよう、米政府に拉致被害者の情報を提供し協力を依頼している」との国会答弁も行っている（2015年7月30日、参院平和安全法制特別委員会）。

すなわち、米国が海外で自国民救出に当たることを日本政府は国際法上「正当」と見なし、日本人も救出してくれることを期待している。

ところが、日本自身が日本人救出のため自衛隊を送ることは、国際法上「正当」ではあっても、憲法上許されないという。この非常識な議論に米側の理解を得るのは難しいだろう。

もっとも安倍の場合、この「矛盾に満ちた」（黒澤）状態を解消したいとの思いは強くあったようだ。

新安保法案提出を睨（にら）んで安倍政権下で作られた「安全保障の法的基盤の再構築に関する懇談会」の報告書（2014年5月15日）は、「国際法上は自衛権の行使として認められる場合がある」とした先の外務省法規課長答弁と、憲法上認めがたいとする内閣法制局第一部長答弁を共に引いた上で、次のように憲法解釈の変更を求めている。

多くの日本人が海外で活躍し、2013年1月のアルジェリアでのテロ事件のような事態が生じる可能性がある中で、憲法が在外自国民の生命、身体、財産等の保護を制限していると解することは適切でなく、国際法上許容される範囲の在外自国民の保護・救出を可能とすべきである。国民の生命・身体を保護することは国家の責務でもある。

ところが法案の細部を詰める過程で、結局、この「国家の責務」は積み残されることとなった。

その後の国会審議の場で、有志議員が与野党の枠を超えて、「自衛隊による邦人救出」を法案に盛り込むよう修正案を出すといった動きも起こらなかった。

何も北朝鮮政権が存続し、防備を固めている中で、自衛隊の特殊部隊が突入していくといった話ではない。北の体制が崩壊し、無政府状態となった時にもなお自衛隊は動けないのかという問題である。

菅義偉政権時代に、加藤勝信官房長官が主宰する「拉致問題に関する有識者との懇談会」（私も委員の1人）の場で、国際常識との整合性を欠く政府答弁に至った経緯を聞いたことがある。

しかし事務局の担当者からは、「従来の答弁との整合性に配慮した」という木で鼻をくくったような官僚答弁が返ってきたのみであった。

仮に野党議員が憲法違反云々と追及してくれれば、「拉致被害者を混乱状態に放置せよというのか」と開き直ればよかったはずである。

長年、先頭に立って拉致問題に取り組んできた安倍が、自らの国会答弁に満足していたとは思えない。安倍の遺志を継ぐ議員たちが、「放置国家」日本の汚名をそそぐべく、一段の憲法解釈修正や憲法改正に取り組むべきだろう。

首相退任後、安倍は、安全保障論で積極発言を続け、「日本を守るため敵基地に向けて出撃する米軍部隊が、自衛隊も一緒に行こうと呼びかけた時、憲法上行けませんと答えれば、その瞬間に日米同盟は瓦解する」と強調した。攻撃面でも米国と責任分担せねばならないとの、理に適った主張だった。

北朝鮮体制崩壊時の対応に関し、政府は、米軍主導の「暫定統治機構」ができることを期待し、その同意に基づいて自衛隊が拉致被害者の日本移送に当たる案を検討してきたとされる。暫定統治機構の許可があれば、現行解釈のもとでも、自衛隊の入北に憲法上の問題は生じない。

ただし、活動に当たって必要な制空権の確保は米軍に依存するとされている。また救出活動に当たる間も、自衛隊の武器使用には制限があるため米軍の協力が必要になるという。

要するに米軍が占領軍として、一定期間、北を統治する状態が前提というわけだが、米側が地上軍を派遣せず、中国に事を委ねる展開もありうる。国際情勢によっては、他の地域に足を取られて、派遣の余裕がないかも知れない。

自衛隊の活動条件の多くをアメリカに整えてもらうという発想では、結局、自衛隊は動けず、拉致被害者に自力救済を求める恥ずべき事態となりかねない。

不透明かつ安易な最高裁人事

ところで、自衛隊による在外邦人救出を法制化しても最高裁で違憲判決が出て無効化されると主張する人がいる。確かに裁判所の人的構成によってはあり得ないわけではない。

日本国憲法は最高裁に「一切の法律、命令、規則又は処分が憲法に適合するかしないかを決定する」強大な権限を与えている。選挙を経ない15名の最高裁判事の多数決で、選挙で選ばれた衆参両院議員が成立させた法律が無効にされ得るわけである。

日本国憲法においては、最高裁判事の選任は、国会の同意人事ですらない。完全に内閣の恣意に委ねられている。上院の承認を必要とし、そのためテレビカメラの入る公聴会が開かれ、議員と候補者の間で質疑応答が行われる米国より遥かに透明度が劣る。当然ながら、お座なりな人事が後を絶たない。

2015年の平和安全法制の審議過程で、左翼憲法教員らの反対の声に対し、自民党は高村正彦副総裁を中心に、「最高裁判決こそ拠って立つべき法理。憲法の番人は最高裁であって、憲法学者ではない」と強調した。そこで当然、最高裁人事が問題となる。

安倍政権は2013年8月、集団的自衛権に関する憲法解釈変更に抵抗した山本庸幸内閣法制局長官（旧通産省出身）を更迭した。ところが山本を慰撫するためか、直後に最高裁判事に任命した。山本は就任会見で、集団的自衛権行使には「憲法改正しかない」と改めて主張、菅義偉官房長官が「極めて違和感を覚える」と批判する異例の事態となっている。要するに筋の悪い人事だった。

山本は15人の最高裁判事中の「行政官枠」（通常2人）を割り振られたものだが、前任者は外務省ＯＢの竹内行夫だった。竹内は外務事務次官当時（2002年2月〜2005年1

月）、「制裁は北朝鮮を刺激するだけ」「帰ってきた5人の拉致被害者は北朝鮮との約束通り、送り返すべき」等の発言を繰り返した人物で、「高い見識を持ち、法律に詳しい」という人事要件に適う人材とは到底思えない。最高裁判事職を、高級官僚その他の天下りポジションとしてはならないだろう。

現在、会計検査院はじめ39機関の委員等のポジションが、衆参両院の承認を要する「国会同意人事」となっている。それら以上に重要な最高裁の人事に国会が関与できないのは、普通に考えておかしいだろう。なぜ議員たちは声を上げないのか。最高裁裁判官も国会の同意人事とし、就任前に公聴会を経るようにせねばならない。これまた憲法改正の重要課題である。

民間人に多大な犠牲を出す専守防衛

専守防衛は、世界中で日本だけが掲げている有害無益な、自縄自縛的発想である。この概念は政府によって、次のように定義されてきた。

専守防衛とは、相手から武力攻撃を受けたとき初めて防衛力を行使し、その態様も自衛のための必要最小限にとどめ、また保持する防衛力も自衛のための必要最小限のものに限るなど、憲法の精神にのっとった受動的な防衛戦略の姿勢をいう。

しかし政府自ら「受動的」だという専守防衛は、民間人に多大の犠牲を出す本土決戦思想あるいは焦土戦術に他ならない。ロシアに一方的に蹂躙されたウクライナ同様、国土が殺戮の場と化し、多くの国民が呆然自失の体に陥ろう。私が「専守呆然」と呼ぶゆえんである。

人権感覚を欠くプーチンのようなトップが「ある地域を制圧しろ」と命じれば、軍法会議を恐れる必要がない配下の軍隊は無差別攻撃に走る。相手が「専守防衛」国家なら、一段と好き放題できる。同等以上の被害を相手国に与える攻撃力を示さない限り、侵略は抑止できない。これが世界の常識である。

専守防衛も、歴史上常に間違いというわけではなかった。城壁を這い登ってくる敵に上から石を落とせば撃退できた原始時代なら、戦略として成り立った。

日本政治の不幸は、攻撃側が圧倒的優位に立つ極超音速ミサイルの時代にも、なお太古の戦略が通じると考える時代錯誤にある。

迎撃ミサイルの効果はあくまで限定的である。巨額の予算を振り向けるなら、かつてフランスが対独要塞網（マジノ線）に防衛費を消尽（しょうじん）した愚を繰り返すことになろう。ドイツ軍がマジノ線を迂回しベルギー領を通って侵入したように、現代の極超音速ミサイルも変則軌道を取り、迎撃ミサイルをかわして突入してくる。

専守防衛というと思い出す話がある。

１９８４年10月12日、英国保守党大会のためホテルに滞在中だったマーガレット・サッチャー首相を狙った爆弾テロが起き、自らは危うく難を逃れたものの（寸前までいた洗面所が崩壊）、死者5人を出す惨事となった。

ドナルド・ラムズフェルド元米国防長官が、その際テロリストたちが現場に残したメッセージに触れ、次のように述べている。

サッチャー暗殺を謀（はか）った者たちが置いていったゾッとするメモを、私はそれ以来、何度も想い起こした。「われわれは一度だけラッキーであればよい。お前は常にラッキーでなければならない」とそこにはあった。

テロに受け身で対処すれば、いつかは惨事に見舞われる。積極的に相手の指揮命令系統を標的とし、脅威を除去していかねばならない。ラムズフェルドは「テロとの戦争」に当たり、その点を肝に銘じたという。

同じことは、核ミサイルの脅威についても言える。相手は、100発中99発が迎撃されても、一発着弾させれば「大勝利」となる。

専守防衛では核ミサイル攻撃に対処できないのは明らかだ。懲罰的抑止力をどう確保するかが必須の課題となる。その点は、第2章で詳述する。

アメリカ軍が敵に変わるという現実

専守防衛的発想の心理的帰結として、中共軍などが攻め込んできた場合、犠牲が出ないよう速やかに降伏するのが正解と説く論者がいる。

彼らに見えていないのは、その瞬間に、世界最強のアメリカ軍が味方から敵に変わるという現実だ。

北京の軍門に降(くだ)り、基地として使われる日本は、米国にとって破壊対象以外の何物でもない。

共に戦うから同盟国なのであり、無傷のまま身を差し出すような降伏をした途端、敵陣営の一角という位置づけになる。

長年日本に軍を駐留させ、情報機関員を配置してきた米側は日本のインフラの弱点を知悉している。いつでも急所を突く攻撃が可能だろう。

昨日の友は今日の敵。歴史はそうした実例に満ちている。

第二次世界大戦初期の１９４０年7月3日、イギリス海軍が、直前まで同盟国だったフランスの艦隊に総攻撃を加えた。地中海に面した仏領アルジェリアの湾に停泊していた船舶群だった。

その2週間前、フランスはナチス・ドイツに降伏し、パリ無血入城を許していた。そのためイギリスは、海上兵力が弱点だったドイツ軍にフランス艦隊が組み込まれ、海の軍事バランスが不利に傾きかねないと懸念した。そこで先手を打って殲滅作戦に出たわけである。

この間、フランス海軍のダルラン司令官は、英側の艦隊引き渡し要求を拒否しつつ、ドイツ軍の傘下には決して入らないと力説したが、英側の容れるところとならなかった。

結局、イギリス軍の爆撃によって、フランス側に、艦船の破壊に加えて、1297人の死者が出ている。

先に触れたとおり、日米安保条約は、いずれかが条約破棄の意思を通告して1年後に失効する。逆に言うと、1年間は失効しない。中国の占領下に誕生した日本の傀儡(かいらい)政権は、直ちに日米安保廃棄を宣言するだろうが、米軍は、1年間は在日基地に居座れる。

ここで改めて、なぜアメリカが日本とのみ、NATOのような相互性を持たない片務的条約を締結したのかを考えてみたい。

要するに、「日本軍国主義」を抑え込むと同時に、アジア大陸に沿って南北に長く延びる戦略拠点日本を敵対勢力の手に渡さないため、日本に米軍基地を置くことが死活的に重要だったからである。

例えば米第7艦隊の旗艦ブルーリッジ(揚陸指揮艦)、空母ロナルド・レーガンなどが母港とする横須賀海軍基地を、米側が中国に無傷で引き渡すはずがない。いざ撤退となれば、使用不可能なまでに破壊した上で去るだろう。他の軍事基地や周辺インフラについても同様である。

中国軍やロシア軍なら、民間人居住区も含め米軍どころでない無差別破壊を置き土産とするだろう。世界は甘くない。

第2章

核兵器

1.「日本の核武装は不可能」は本当か？

ファシズム国家による露骨な核恫喝

2023年5月、岸田首相が議長を務め、「核廃絶の願い」に最大限の演出を凝らしたG7広島サミット。日本人にとっては様々に感慨深かったが、残念ながら習近平、金正恩、プーチンらは、G7が、彼らにとって嫌な核抑止力の強化ではなく、無駄なイベントに時間を費やしてくれたとほくそ笑んだだろう。

ファシズム国家による露骨な核恫喝の例をまず一つ挙げておこう。

2022年2月27日、ロシアのプーチン大統領が、核戦力部隊を「特別警戒態勢」に置くよう命じたと発表した。同時に演説を行い、「(ロシアは）他国にない兵器を保有しており、必要な時に使う。ひけらかさず、必要な時に使う。皆がそれを知っておくべきだ」と強調した。

翌28日、同国国防相が、指示通り戦闘態勢に入った旨をプーチンに報告したとの発表を行った。戦略ミサイル軍や北方艦隊、太平洋艦隊、遠距離航空司令部が核使用の準備レベルを上げたという。

プーチンは、ウクライナ侵略の開始を宣言した同月24日の演説でもすでに、「ロシアは世界で最も強力な核大国の一つだ」と国際社会に向けた核恫喝を行っていた。

その後、４月20日には、ロシア国防省が、新型大陸間弾道ミサイル（ＩＣＢＭ）「サルマト」の発射実験に成功したと発表。プーチンは「現代のあらゆるミサイル防衛に打ち勝つことができる」と豪語した。

話は前後するが、２月19日には核戦力部隊などの大規模演習を自ら指揮し、ＩＣＢＭや極超音速ミサイルを発射している。さらに遡（さかのぼ）って14日には、新たに北方領土周辺でもミサイル発射訓練を行うと日本側に通告してきている。

こうした一連の動きに対して、自由主義陣営が対露制裁のレベルを上げる中、安倍元首相が、米国の核兵器を自国領土内に配備して共同運用する「核共有（ニュークリア・シェアリング）」に言及し、議論を深めるべきだとの認識を示した（２月27日午前のテレビ番組）。

日本は核兵器不拡散条約の加盟国で、非核三原則があるが、世界はどのように安全が守られているかという現実について議論していくことをタブー視してはならない。

プーチンが核兵器の先制使用をちらつかせ、具体的準備まで命じた以上、責任政治家たる安倍が反応したのは当然だった

おそらく安倍の真意は、日米「核共有」の具体的追求というより、抑止力に関する議論全般を活性化させることにあっただろう。

しかし笛吹けど踊らずで、翌2月28日に国会で核共有に関して質問された岸田首相は、「自国の防衛のために、アメリカの抑止力を共有する枠組みを想定しているものであれば、非核三原則を堅持するという我が国の立場から考えてこれは認められない」と条件反射的に旧来の枠に閉じこもる姿勢を見せた。世界の常識から目をそむけたわけである。

しかし風向きは変わりつつある。安倍の「核共有」発言を機に、抑止力をめぐる議論はある程度活性化した。少なくとも、独自核抑止力の保有を唱えたから「政治的に即死」という状況ではなくなってきた。

核ミサイルを誇示する専制国家に囲まれながら、核抑止力を議論してはならない——日本以外の国なら、こうした姿勢こそ本来、政治家としての即死につながるのではないか。

イギリスの戦略

少なくとも核ミサイルに関する限り、世界は、攻撃側が防御側を圧倒する時代に入った。マッハ10を超える極超音速かつ変則軌道で侵入してくるミサイルの迎撃はほぼ不可能であり、飽和攻撃すなわち同時大量攻撃を掛けられた場合には絶対に不可能である。

この状況下、果たしてアメリカ大統領が、自国も壊滅的被害を受けることを覚悟の上で日本のために核使用を決断するか。

「それはない」と中国、北朝鮮等の独裁者が考えたとしても、非合理な判断とは言えないだろう。

特に日本に核恫喝を掛ける場合、それらの国は、「アメリカが日本に代わって核報復をしない限り、決してアメリカ本土は狙わない。在日米軍基地を標的にすることもない」と米側に談合を呼びかけるはずである。

「核抑止力は引き続き必要」と言いつつ、それを米国に全面的に依存する日本の政策ないし願望は、常識的に見て、もはや成り立たない。

私は、周りを海に囲まれ、自由民主主義体制を取る高度産業国家であるなど共通点の多い英国の「連続航行抑止」（Continuous at Sea Deterrent, CASD）戦略を参考にすべきと考えている。

簡単に解説しておこう。

英政府はこの戦略を、「少なくとも1隻の核兵器装備潜水艦が、最も極端な脅威に対応するため、発見されずに常時パトロールを続ける態勢」と表現する。

「最も極端な脅威」の中身はあえて定義せず、核のみならず生物・化学兵器の使用や通常兵器による全面攻撃も含むと取れるよう曖昧さを残している。

現在、バンガード級戦略原子力潜水艦（全長約１５０メートル、乗員１３５人）4隻が、それぞれ16基のトライデントⅡミサイルを搭載し（1基当たり核弾頭3発を装備可能）、単純計算で、1隻当たり最大48か所、4隻合わせて２００か所弱の目標を個別誘導で攻撃できる。

4隻のうち最低1隻は必ず外洋に出て警戒に当たる態勢が維持されている。原子力が動力源のため航続距離が長く、理論的には、燃料補給なしに地球を40周できる。

かつては戦略爆撃機も有していた英国だが、敵の第一撃に対して脆弱なためすべて廃棄し、残存性の高い潜水艦発射ミサイルのみで核抑止力を確保している。

今後順次、耐用年数を超えるバンガード級に替わって、最新鋭のドレッドノート級（大きさはほぼ同じ）が２０３０年代初頭から就航予定だが、４隻態勢は維持される。

「常時外洋に出なくても、安全保障上必要な時にのみ、核を搭載して出航すればよいのでは」という声に対しては、英国防当局は次のように答えている。

抑止力を休眠状態で維持する、すなわち危機の時だけ核武装潜水艦を配備する形であっても、「連続航行抑止」とほぼ同じコストが掛かる。すべての複雑な装備をメンテナンスせねばならないし、乗組員を高度に訓練された即応態勢に置く必要も変わらない。また母港に集結した状態だと、相手の先制攻撃で壊滅させられる恐れがある。攻撃が差し迫ったと判断した時に、急にわが抑止力を休眠状態から能動状態に移行させると、好戦的行為に出たとも映りかねない。それは、緊張をエスカレートさせ、実際の紛争へ導くかも知れない。

出航して警戒任務に当たる1隻、メンテナンスを受ける1隻、訓練を行う1隻、事故や攻撃で失われた場合に備えた予備の1隻という4隻態勢は合理的だろう。

アメリカがより意見を聞くようになった

特に中国、ロシアのようなファシズム政権や北朝鮮のような世襲匪賊政権に抑止力を利かすには、独裁者がいる司令系統中枢に「耐え難い被害」を与える力を明示する必要がある。

3つの核武装国家と近接対峙する日本は、英国より遥かに危険な状態にある。日本国民の大虐殺を阻止するため、潜水艦数隻から成る英国型の独自抑止力を持つことが非人道的であり、「国是」に反するといった考えは理解しがたい。

米レーガン政権の全面協力を得て、現行のイギリス型核抑止態勢を整えたのはサッチャー政権である（1979年-1990年）。核戦略の理論家としても聞こえたマイケル・クインラン国防次官（当時）は次のように述べている。

核問題に関し、英国の手は汚さぬようにしながら、同盟国・米国による核保護は引き続き歓迎するという立場は、何ら道徳的ではなく、安全に一段と資するものでもない。

サッチャー首相自身も回顧録に記している。

核抑止の信頼性を最終的に決めるのは、ソ連が戦略的脅威をどう受け止めるかである。英国を守るために戦略核を発射する米国の意思についてソ連側がいかに疑問を抱こうとも、英国の保守党政府の発射意思に関しては疑問の抱きようがないはずだ。

確かに「鉄の女」サッチャーならば間違いなくそう言えただろう。

独自抑止力の効用は外交分野にも及び、歴代英政権の国防関係者の多くが、核をめぐるあらゆる問題で、米国が英国の意見により耳を傾け、相談するようになったと述懐（じゅっかい）している。

ロシアや中国と軍縮・軍備管理の協議を行うに当たっても、現に広い行動範囲で核搭載潜水艦を運用している同盟国の意向は無視できないからである。

元々、核抑止戦略の理論的検討は、英国の方が米国より早かった。第二次大戦中に本土をドイツ軍に空爆され、新開発ミサイル（V2ロケット）まで撃ち込まれた経緯があったからである。V2ロケットに核弾頭が積まれた時どうするか、は机上の課題ではなかった。

その点、日本は核抑止への取組において、英国より約80年立ち遅れた状態にある。「向こうは戦勝国、こちらは敗戦国だから」で思考停止する人々もいるが、10年20年ならまだしも、80年経ってなお無為無策を「敗戦」で正当化するのは怠慢という他ない。

こうした敗戦後遺症や植民地根性との闘いも今後先鋭の度を増していこう。ナイーブなパシフィスト（反軍平和主義者）の背後には常に腹黒い国外の反日勢力が扇動者としている。なお敵司令部を無力化できるのであれば、弾頭は別に核でなくともよい。一般民衆にできる限り被害が出ない兵器がよいに決まっている。

例えば、強磁界を生み出して電子機器を破壊する電磁パルス兵器などが候補となるが、少なくとも現状では、核爆発を利用しない「非核型」は「核利用型」に比べ、威力が相当落ちると言われる。予見しうる将来、やはり核の脅威に対抗する抑止力は核、が基本であり続けるだろう。

核保有で世界から孤立などしない

以下、日本核武装というと必ず出される反論に触れておこう。

まず、核兵器開発には爆発実験が不可欠だが、国土が狭く、広大な砂漠を持たない日本には無理、基本条件を欠くとの主張である。

しかし日本以上に国土が狭いイスラエルは、爆発実験を一度も行うことなく、２００発内外といわれる核兵器を保有している。イスラエルにできることが、同等以上のテクノロジー大国である日本にできないはずがない。

日本なら、爆発実験なしに、コンピュータ・シミュレーションのみで信頼性ある核兵器を開発し、実戦配備できると関係諸国が思えば、充分抑止力として機能する。実際に「使える」かどうかは、核兵器の場合、二の次である。アメリカから詳細なデータの供与を含む協力を得たと、メディアにリークする「情報戦」なども併せて行えば、一層抑止力に資する（ここでも、実際にアメリカの協力があったか否かは二の次である）。

なお１９７３年、アラブ諸国の奇襲攻撃でイスラエルが苦境に陥ったのち（第４次中東戦争）、当時の米ニクソン政権は、爆発実験を伴わない形ならイスラエルの核武装を容認する意向を伝えたとされる。アメリカがイスラエルの核開発をどの程度、いかなる形で助けたかは今に至るも「藪（やぶ）の中」である。

第２の反対論として、独自核を保有するには、核兵器不拡散条約（ＮＰＴ）から脱ける必要があるが、そうなると日本は国際制裁を受けて孤立する、だから核武装はできないというものがある。果たしてそうか。

現在、NPTに加盟していない核保有国は、インド、パキスタン、イスラエルの3か国、一旦加盟して脱退を宣言したのが北朝鮮である。

欺瞞（ぎまん）的食い逃げ行為（軍事利用はしないと公約して「民生用」原子炉開発に国際的支援を受けながら、プルトニウムを貯め込んだ上で脱退）をした北は別として、上記3か国のいずれも、核武装を理由に国際制裁を発動されておらず、孤立もしていない。

その関連で、核武装に乗り出すと、全面制裁は避け得ても、原子力供給国グループ（NSG）から排除されてウランが入手できなくなり、原子力産業が立ちゆかなくなるという議論がある。

これも前例に照らして、日本の場合、ありえない。

2008年9月、米ブッシュ（ジュニア）政権の主導で、NPT不参加の核保有国インドに関して、その「責任ある」実績を評価し、「例外」として原子力民生協力ネットワークに参加させる旨の決定がNSG臨時総会でなされた。日本政府も賛成票を投じている。

続いて国際原子力機関（IAEA）も同様の決定をした。決定に当たっては、インドが自国外に核を流出させたことがない「不拡散実績」が評価された。「核物資の輸出管理に関してインドは、二つのNPT上の核兵器国、ロシアと中国より、好成績だった。ロシアはイランの、中国はパキスタンの危険なテクノロジー獲得を助けていた」というストローブ・タルボット元米国務副長官（クリントン政権で核問題を担当）の指摘は的を射ている（Strobe Talbott, *Engaging India*, 2010)。タルボットは次のようにも言う。

中国を核兵器国としてNPTに受け入れたことはとりわけインドを怒らせた。なぜ世界最大の専制国家が核爆弾の保有を許され、世界最大の民主国家に許されないのか。

日本にも基本的に当てはまる真っ当な問いだろう。インドの例外化には、中国のみが、「国際的な核不拡散体制に大きな打撃になる」と異議を唱えた。しかし大勢を動かすに至らず、中国は次いで、パキスタンも例外扱いすべきとの主張で対抗したが、パキスタンは「カーン博士ネットワーク」を通じて北朝鮮、イラン、リビアなどに核を拡散させた「重大な前科」があるとの理由で斥（しりぞ）けられた。

インドが例外とされながら日本はされない（パキスタン同等と見なされる）との展開は考

えられない。「ウランが来なくなる」説はためにする議論に過ぎないと言えよう。多方面で国際貢献している自由主義国家日本が北朝鮮と同一視されることもあり得ない。日本核武装に「国際経済制裁」という障害物はない。

インドの例外化に関しては、「信頼できる国」とそうでない国を分け、前者の核武装は認めるとなると、NPTの原則が崩れるという批判の声も出た。しかし、そもそもNPT自体、発足時点で米露英仏中5か国を例外扱いした現状追認型の取決めであり、全参加国に例外なく適用される一般原則は存在しない。

形式的議論に囚（とら）われるのではなく、「信頼できない国」の核武装阻止に集中した具体的取組こそが急務だろう。

日本がNPTから脱退すると、世界を歯止めなき核軍拡競争に追いやってしまうと論じる人々もいる。しかし幸か不幸か、日本にそんな影響力はない。核武装する国は、日本の動向に関わりなくするし、しない国はしない。

「非核三原則」を唱えつつ、アメリカの拡大核抑止に頼る日本は、そもそも核軍縮のリーダーなどと見られていない。実際、核廃絶がライフワークだという岸田首相に対し、国内外の反核活動家から、偽善的という批判の声が多数出ている。

ＮＰＴには、重大な脅威に晒された場合に発動できる脱退規定がある。にも拘らず、「ＮＰＴに入った以上、自前の核は持てない」と判断マヒに陥る人が多い。国連機関からの脱退と聞くと直ちに思考停止に陥る心理と同じである（アメリカでは普通の話だが。第４章参照）。

何より重要なのは国民の命と自由であり、国家の存続だという基本に立ち返らねばならない。世界はそうした感覚で動いている。

ちなみに中国が主張したパキスタンのＮＰＴ例外化は国際機関で否定されたが、中国は決定を無視して、パキスタンへの核物質供与を続けている。露骨なＮＰＴ違反である。しかし、経済大国中国に制裁を科すといった話は国際社会で一切出ない。

国際的取決めは自身に都合の良い時だけ守る、が腹黒い世界の常識であり、サインした以上一字一句律義に守らねばならないと考えるのは日本ぐらいだろう。

2. 核の洗脳を解くとき

唯一の被爆国だからこそ

「核共有」に触れた安倍発言を、改めて正確に引用しておこう。

NATOでも、ドイツやベルギー、オランダ、イタリアが核シェアリングをしている。自国にアメリカの核を置いていて、落としに行くのはそれぞれの国が行うというデュアリティ(duality/二重)システムだ。

「核共有」には大きく言って2つのタイプがある。

1つは、戦闘機などの運搬手段を同盟国が提供し、核抑止の一端を担うものの、核のキー(認証コード)はあくまで米大統領1人が握る形である。同盟国の首脳は、戦闘機の離陸拒否といった形で拒否権を有するが核キーにはタッチできない。

もう1つは、同盟国に配備した核ミサイルをダブルキー・システムにし、米大統領と同盟国首脳の合意を経て発射できる形にするものである。

いずれの場合も、米大統領がゴーサインを出さなければ核爆弾として機能しない。すなわち自由に使える形で、アメリカから同盟国に核が分け与えられるわけではない。

日本の場合、アメリカの「核の傘」に頼りながら、それを「持ち込ませず」とするあからさまな矛盾ないし偽善を解消する上で、「共有」を議論することは一定程度意義があろう。

しかし、それはあくまで「下請け核」の話に留まる。さらに踏み込んで独自核まで議題として取り上げて初めて、タブーから完全に抜け出たと言える。

例えば、理念的な保守派で、自民党の「日本の尊厳と国益を護る会」幹事長を務める山田宏参院議員は、「国連安保理常任理事国であるロシアがウクライナに侵攻し、プーチン氏が核恫喝を行ったことで、世界は劇的に変わった。各国が『自国の防衛力』『核抑止力』を見直している。日本もタブーなく、幅広く議論すべきだ」との認識を示した上、「わが国に核兵器を撃ち込ませないための議論」を進めていくと宣言した（夕刊フジ2022年4月4日）。常識に適った主張である。

しかしその山田ですら、「わが国は核兵器不拡散条約（NPT）体制下にある。核兵器をつくり、保有する選択肢はあり得ない。この前提で『万全な核抑止力』をどう確保して機能させるかをチェックする」と入口で断言してしまっている。これではタブーなき議論となり得ない。

政治家が闊達に意見を交わせる土俵を作るのは言論人や研究者の仕事である。政治家で派閥の領袖たる安倍元首相が、一定の批判を覚悟で「核共有」に言及したのは、言論界ではさらに踏み込んで欲しいというメッセージに他ならない。

ここ数十年来、日本では、「唯一の被爆国たる日本が核抑止力を持つなど許されない」が不動のテーゼとなってきた。しかしこれはそもそも、論理的におかしい。唯一の被爆国であればこそ、再度の国民大虐殺を防ぐため、核抑止力を保有する資格がどの国よりもある。

共産党の穀田恵二国対委員長は、安倍の問題提起を「核兵器を使うのは断じて許されないという世界の流れに逆行する犯罪的な発言だ」と非難した（3月2日）。

遺憾ながら「世界の流れ」は穀田の認識に「逆行」している。しかし穀田的な言い立ては、日本の国会における揚げ足取りのパターンとなっている。一例を挙げておこう。

２０１６年9月末からの臨時国会で、稲田朋美防衛相が6年近く前に行った「長期的には日本独自の核保有を単なる議論や精神論ではなく国家戦略として検討すべきではないでしょうか」との月刊誌発言を民進党の辻元清美、蓮舫らが不適切だと追及した。

北朝鮮が着々と核ミサイルを実戦配備し、中国が覇権的行動を強め、アメリカで進行中の大統領選において、「自分の国は自分で守れ」というトランプ・ドクトリンが風雲を巻き起こしている中、コップの中の嵐を絵に描いたような空疎なやり取りだった。

10月5日、参院予算委で蓮舫が、「(雑誌対談) 当時は、核保有を国家戦略として検討、いまは非核三原則を守る、なぜ変わったのか」と迫ったのに対し、稲田は、「安倍政権になって、かつてないほど日米同盟も強固になっている。当時は日米同盟がガタガタだった。現時点の私の考え方は、核のない世界を実現するため全力を尽くすということ。現在、核保有については全く考えていないし、考えるべきでもないと思う」と答えている。

これを受けて蓮舫は、「気持ちいいぐらいまでの変節」と非難しつつ、翌日の記者会見では、「『発言が違ったことへの説明は納得していないが、『今はこういう立場だ』と言っていることは、防衛相として不適切ではない」と寛容の精神を誇示しつつ矛を収めた。要するに、議論の核心たる抑止力については蓮舫自身何も考えていなかったわけだろう。

質問者に何ら問題意識がない以上、議論の深まりようもなかった。日本の国会は今なおこのレベルに留まっている。日本を取り巻く腹黒い勢力にとってはありがたい話だろう。

岸田首相は広島副市長か

仮に現在、すでに日本が英国型の核抑止力を持っているとして、周辺で核の脅威が高まる中、あえてそれを放棄して丸腰になれと主張する政治家がどれだけいるだろうか。おそらく少数に留まるだろう。

非核三原則が「国是」云々は空虚な建前論に過ぎない。岸田は事あるごとに被爆地広島の選出であることを強調し、「だから核廃絶を訴える」という。「だから核抑止力保持を訴える。お前は核の悲惨を知らないとは誰にも言わせない」と開き直る度量や見識はどこにも見られない。

「唯一の戦争被爆国」の立場から核の惨禍を訴える仕事は、広島、長崎の市長や被爆者代表が継続的に行っている。

首相の仕事は、あたかも広島副市長のごとく、その二番煎じを演ずることではなく、日本国の抑止力を高めることにある。

なお、岸田のような首相のもとでは、ダブルキー・システムの核共有はかえって抑止力を低下させかねない。「米大統領が発射を決断しても、岸田は絶対に決断できない、岸田が片方のキーを持つ限り100％安心」と敵方が思えば抑止力はゼロとなる。せめて「曖昧戦略」を取るぐらいの柔軟性がなければ、核恫喝に対抗できない。

ナンシー・ペロシ米下院議長の台湾訪問に中共が強く「反発」し、不測の事態も懸念される中、岸田首相は日本を離れてニューヨークに赴いた（2022年8月1日）。国連の総会ホールで開かれた「NPT運用検討会議」で核廃絶を訴えるためである。「ヒロシマ・アクション・プラン」と名付けた岸田の演説に特に目新しい要素はなく、岸田以外に首脳クラスの出席はなかった。

「尖閣諸島や与那国島は、台湾から離れていない。台湾への武力侵攻は日本に対する重大な危険を引き起こす。台湾有事は日本有事であり、日米同盟の有事でもある」という安倍元首相の言葉は、主張ではなく単純にファクトである。

琉球諸島南部が自動的に戦域となるに留まらない。米偵察機は沖縄本島の嘉手納（かでな）基地を拠点とする。台湾をカバーする米第7艦隊の主力をなす空母ロナルド・レーガンも旗艦ブルーリッジ（揚陸指揮艦）も横須賀が母港である。

中共が台湾侵攻を敢行するに当たっては当然、嘉手納、横須賀等も潜在的攻撃対象となるだろう。

ペロシ議長を乗せて台湾に向かう米軍用機に、中国軍機が危険行為を仕掛ける可能性もあった。その時間に官邸を空け、現実性ゼロの「核廃絶」パフォーマンスに走った岸田に、自衛隊の最高指揮官たる自覚はあったのだろうか。

岸田はグテレス国連事務総長との会談にも時間を費やし、1千万ドル（約13億円）を拠出して「ユース非核リーダー基金」を立ち上げる意向を伝えている。おそらくは、世界の若手左翼活動家の「軍資金」になって終わるだけだろう。

岸田はまた、核廃絶への機運を高めるため、「国際賢人会議」を立ち上げ、会合を広島で開くとも発表した。

既往（きおう）に照らして、知的に意味のある会議にはなりえず、よくて税金の無駄遣い、下手をすればやはり左翼の「賢人」周辺への活動資金提供に終わるだろう。パグウォッシュ会議はじめ類似の「国際賢人会議」は過去に多数あった。実際、外交的配慮からロシアと中国の御用学者も加えた広島「賢人会議」は、堂々巡りの議論が続く国連軍縮会議の矮小版に過ぎないものとなった。

　岸田が国連で核廃絶演説を行った同日、ロシアのプーチン大統領が声明を出し、「核戦争に勝者はおらず、決して戦ってはならない」と強調している。

　岸田がどう聞いたか知らないが、この言葉はアメリカに対して、核保有国同士は争わず、相互不干渉の精神で行こうと談合を呼びかけたものに他ならない。

　一方、日本のような非核保有国に対しては、「戦争になれば核を使ってロシアが勝つ。盾突くな」がプーチンの黒い腹から出た裏メッセージであった。

　実際、岸田演説の翌日、同じ議場で発言したロシア代表は、「西側諸国がわれわれの決意を試そうとするなら、ロシアは引き下がらない」と述べ、西側の態度如何（いかん）でロシアは核の「引き金」を引かざるを得なくなると警告している。岸田の訴えに何の効果も無かったことは明らかだろう。「ＮＰＴ運用検討会議」は合意文書を作れないまま閉幕した。

　中共の習近平国家主席も、台湾侵攻に当たっては、アメリカとの衝突回避に最大限努力しつつ、日本その他に対しては露骨に核恫喝を掛けてくるはずである。

　日本は「唯一の戦争被爆国」だから日本にだけは核を撃ち込んではならないと習や金正恩が考えるはずもない。むしろ「今度は２発で済むと思うなよ」が彼らの、大して隠されてもいない本音だろう。

憲法9条と同じく「唯一の被爆国」も日本弱体化を狙う勢力にとって都合のよい洗脳カードに過ぎない。

報じられないアメリカの「日本核武装」歓迎論

日本核武装というと、直ちに「アメリカが許さない」と敗北主義的姿勢を取る人々がいる。

常々日本政府の「対米従属」姿勢を批判する左翼勢力の中にもそうした主張があるのは奇異な光景である。それこそ「対米従属」、植民地根性ではないか。

しかも現実のアメリカには、日本核武装を容認どころか奨励する議論さえ少なからずある。見ておこう。

影響力ある言論人中、最も早くから、北朝鮮および背後の中国を牽制(けんせい)する「切り札」として日本核武装を唱えたのは、簡明辛辣(しんらつ)な評論文で知られたチャールズ・クラウトハマー(1950-2018)である。長年ワシントン・ポストにコラムを書き、晩年はFOX

ニュースのレギュラー・コメンテーターも務めた。
まず最初に、「日本カード」と題したコラムで、北朝鮮の封じ込めに中韓が協力することはないと指摘した上、次のように論じている（２００３年1月3日）。

我々は中国に対して率直に、北朝鮮の締め上げと核武装阻止に協力しないなら、日本が独自の核抑止力を持つ試みを支持すると言わねばならない。さらに良いのは、アメリカの核ミサイルを得たいという日本の要望に、直ちに前向きに応えることだ。我々の悪夢が核武装北朝鮮とすれば、中国の悪夢は核武装日本である。悪夢を共有すべき時だ。

数年後、次のように敷衍している（２００６年10月21日）。

我々は（第二次大戦における）日本降伏のニュースをいまだ聞いたことがないかのごとく振る舞っている。大国にふさわしい軍備を永遠に禁じたマッカーサー憲法に日本が固執（こしゅう）する状況を褒（ほ）めそやしている。

日本は本当に特異な例だ。他のすべての大国は何十年も前に核武装している。フランスのような、かつては大国だったが今はそうでない国や、インドのような、いつか大国になることを夢見る国や、北朝鮮のような決して大国になりえない国も核武装した。日本は、ダイナミックな経済と安定した民主制、抑制的な外交政策を備えた模範的な国際市民であるだけではない。アメリカにとって、イギリスに次ぐ最も重要かつ頼りになる同盟国だ。

常識的な認識だろう。クラウトハマーは続ける。

中国は、トゲのごとき手下政権（北朝鮮）にわが方が対応せざるを得ない状況に満足し、他のアジア地域で自らの野望を追求している。しかし日本が核武装に動けば、中国は計算し直さざるを得なくなろう。
太平洋の周縁において、日本の利益は自然な形でアメリカと一致する。すなわち、軍事的・政治的な安定の維持、強引に拡張する中国の封じ込め、ピョンヤンのギャング政権への対抗、そしてアジアを通しての自由民主モデルの拡大である。

なぜ我々は、他の多くの同盟国（慢性的に宥和的な韓国が最も悪しき例だが）が安保タダ乗りを図る世界において、この安定した信頼できる民主的な同盟国が、重荷を共に担うために必要とする手段を否定するのか。

クラウトハマーは、トランプ政権下で朝鮮半島危機が再燃した際にもやはりこう強調している（２０１７年７月７日）。

我々は日本に、独自の核抑止力を持つよう促すことができる。それ以上に素早く中国の関心を引く事柄はない。

「モスクワは核武装日本をさほど気にしない」

ウォールストリート・ジャーナルに定期的に寄稿するウォルター・ラッセル・ミード（ハドソン研究所研究員）も、「世界中の非核国家で、能力的に日本ほど核保有に近い国はない」とした上で、やはり北朝鮮締め上げに中国を協力させるカードとして日本核武装が効果的と論じている（2017年9月4日）。同時に次のような興味深い観察も記している。

モスクワは核武装日本をさほど気にしないだろう。日本の台頭はアメリカの影響力を減らし、より「多極的な」国際システムを促進し、中国を牽制するだろうからだ。

ロシアのウクライナ侵攻以来、中露は一段と蜜月関係を誇示しているが、長期的には頭に入れておくべき論点だろう。またこうも述べている。

おそらくトランプ大統領（当時）は、東アジアの核武装化を米外交政策の敗北ではなく勝利と見なすだろう。中国の地政学的野望が、日本、韓国、さらには台湾の核武装によって封じ込められるからだ。アメリカは、韓国から兵を引いて軍事費を削減でき、中国封じ込めのコストを同盟国に負わせられる。

トランプ自身、同盟国の防衛をアメリカが負担するのは馬鹿げていると主張する文脈で、度々日本核武装に触れた。一例を挙げておこう（2016年3月29日の演説）。

もし日本が、あの北朝鮮の狂人から自ら身を守れるなら、我々にとって結構なことだ。ある意味で、北朝鮮が核兵器を持つ状況下、日本も持つことは望ましいと思わないか。

トランプ政権で大統領安保補佐官を務めたジョン・ボルトンも度々、中国に圧力を掛ける手段として日本核武装を主張してきた。

こうした論者にとって、何ら反応を見せない日本は大いにもどかしかったろう。中国やロシアに文明世界の常識は通じないが、日本も別の意味で、常識的議論が通じない相手だった。

中国と北朝鮮が恐れる日本核武装

米議会にも日本核武装を奨励する人々がいる。私自身の体験を記しておこう。

「北朝鮮による拉致被害者家族会」「救う会」「拉致議連」合同訪米団の一員としてワシントンを訪れた時のことである（私は「救う会」副会長の立場で参加）。

下院外交委員会の有力メンバーであるスティーブ・シャボット議員（共和党）が訪米団

に対し「一つの提案」を行った（2011年7月13日）。

シャボットは拉致問題に早くから理解を示し、のちには軍人同士の交流も含む台湾旅行法の提出者になるなど、米台関係強化の先頭にも立ってきた。

シャボット議員は、「あくまで日本自身が決めることで、米側にも多様な意見がある」と前置きしつつ、「私は日本の独自核武装がカギになると思う。北のテロ活動や核兵器開発を止められる国は今のところ中国しかいない。中国を動かすには日本が核武装を真剣に考えている状態を作ることが最も効果的だろう。中朝ともに日本の核武装を非常に恐れている」と述べた。

同様の見解はジョージ・W・ブッシュ元大統領も回顧録に記している。ブッシュは、北の核問題で中国の協力を促すため、2003年1月、江沢民国家主席に対し、「北の核兵器計画が続くようなら、日本が独自核開発に乗り出すことを私は止められなくなろう」と語ったという（George W. Bush, *Decision Points*, 2010）。

ブッシュ政権で国防長官を務めたドナルド・ラムズフェルドも、やはり回顧録に、「北朝鮮の脅威に対抗するため日本、韓国あるいは台湾が核兵器開発を決断した時、中国は自らの姿勢を後悔するだろう」と書いている（Donald Rumsfeld, *Known and Unknown*, 2011）。以上、日本核武装を対中牽制カードにという議論は、アメリカにおいて何ら珍しくない。しかし肝心の日本が一向に動く気配を見せなかった。「日本核武装」の戦略的意味を最も理解していないのは、おそらく日本の政界でありマスコミだろう。

核武装は憲法違反ではない

独自核武装は日本国憲法に抵触しない。政府の解釈は、この点、一貫している。

自衛のための必要最小限度の範囲内にとどまるものである限り、核兵器であると通常兵器であるとを問わず、これを保有することは第９条第２項の禁ずるところではない（１９７８年３月11日政府答弁）。

しかし同時に、①非核三原則の堅持、②原子力基本法に規定する平和利用限定、③核兵器不拡散条約（ＮＰＴ）の非核兵器国としての義務、に鑑み「政策として」一切の核兵器を保有しないというのが今日に至る政府見解である。

しかし1970年2月、NPTに署名するに当たり、当時の佐藤栄作内閣は、「条約第10条に『各締約国は、異常な事態が自国の至高の利益を危うくしていると認めるときは条約から脱退する権利を有する』と規定されていることに留意する」との声明を出し、日本に対する核の脅威が高まった場合にはNPT脱退もあり得るとの姿勢を明示した。

当時は自民党を中心に、独自核武装の道を塞ぐべきではない、核を保有しなければ日本は「二等国」に分類されるといった議論が根強くあり、そのため国会がNPTの批准を完了するまでに結局6年以上の歳月を要している。

佐藤首相自身、中国が初の原爆実験を行った事態を受け(東京五輪開催中の1964年10月16日)、ライシャワー駐日米大使に、「相手が核を持つなら、自分も持つのは常識だ。日本国民には核に対する拒否感が強く、現段階では受け入れの素地はないが、特に若い世代には教育の余地がある」と語っている。

2年後、毛沢東が発動した暴力的権力闘争「文化大革命」の混乱が中国全土に広がる中、来日したラスク米国務長官に対し佐藤は、「中共につき最も心配なのは、その核武装により、気ちがいに刃物となる事態である」と述べている(1966年12月6日)。

現在日本は、北朝鮮、中国、ロシアと強権的な核保有国に囲まれ、当時より危険な状態にある。

ＮＰＴ脱退は政府が決断すればできる。原子力基本法は国会の過半数で改正できる。非核三原則の放棄は、法改正すら必要ない政策の変更に過ぎない。いずれも、憲法改正より制度的なハードルは低い（政治的抵抗の度合いはもちろん別）。

先に触れたとおり、トランプ米大統領は、日本核武装を「望ましい」とした。その発言を、余りに無知と批判したのがバイデン（当時副大統領）である。

民主党ヒラリー・クリントン候補の応援演説に立ったバイデンは次のように述べた（２０１６年8月15日、ペンシルベニア州にて）。

我々が、核兵器を持てないように日本の憲法を書いたことを彼は知らないのか。学校でどこにいたのか。この判断に欠ける人物は、信頼できない。彼に（大統領として）核兵器発射のコードを知る資格はない。

ところがバイデンは、この演説に先立つテレビ・インタビューで、北朝鮮の核開発阻止に中国が動かないなら「日本は実質的に一夜のうちに核兵器を獲得できる」と自ら習近平国家主席を牽制したと語っている（PBSニュース、同年6月23日）。

憲法上核を持てない日本がなぜ一夜にして獲得できるのか。バイデンらしいあっけらかんとした矛盾だが、日本の政治家に笑う資格はない。

実際、国会議員の多くが、憲法上核武装はできないと思い込んでいるのではないか。それ以前に、独自核抑止力について真剣に考えたことのある議員はほとんどいないだろう。矛盾と欺瞞に満ちた日本の安全保障論議を、アメリカの政治家に過不足なく理解せよと言っても無理な注文である。

河野太郎の不見識

2021年9月19日、自民党総裁候補の1人としてフジテレビの番組に出演した河野太郎は、敵基地攻撃能力について次のように述べ、否定的態度を取った。

敵基地なんとか能力みたいなものは、こっちが撃つ前に相手が撃たなかったら相手の能力が無力化される。かえって不安定化させる要因になる。

「なんとか能力」という馬鹿にした言い回しや、建設的代案を示さない辺りに河野の不見識が表れているが、相手の予防攻撃を惹起しかねないというのは１つの論点である。

公明党の山口那津男代表も、「敵基地攻撃能力が国会で議論されたのはもう70年も前のことで、いささか古い議論の立て方だ」と繰り返し述べてきた（例えば２０２２年１月９日のＮＨＫ番組で）。山口も建設的な代案は示していない。

山口の言う「70年も前」の議論とは、次の鳩山一郎首相答弁（１９５６年）を指す。

> わが国に対して急迫不正の侵害が行われ、その侵害の手段としてわが国土に対し、誘導弾等による攻撃が行われた場合、座して自滅を待つべしというのが憲法の趣旨とするところだというふうには、どうしても考えられないと思うのです。そういう場合には、そのような攻撃を防ぐのに万やむを得ない必要最小限度の措置をとること、たとえば誘導弾等による攻撃を防御するのに、他に手段がないと認められる限り、誘導弾等の基地をたたくことは、法理的には自衛の範囲に含まれ、可能であるというべきものと思います。

同じＮＨＫの番組で立憲民主党の泉健太代表も、「今の時代は発射台付き車両からミサイルを射出する」と、移動式ミサイルの位置を把握して無力化するのは不可能との趣旨を述べている。

一方、日本維新の会の馬場伸幸代表は「わが党は敵基地攻撃能力とはいわず、領域内阻止能力と呼んでいる。抑止力として一定の反撃能力を持つことは絶対に必要で、領域内阻止能力は予算をつけて高めていくべきだ」と力説し、国民民主党の玉木雄一郎代表も「敵基地攻撃能力という言葉はどうかと思うが、相手領域内で抑止する力は必要だ」と同調した。

自国領域内で超音速ミサイルの迎撃を試みるより、相手領域内で発射前のミサイルを叩く方が効果的との議論は、自民党の小野寺五典（いつのり）元防衛相などが夙（つと）に行ってきた。その場合、敵基地攻撃と言ってもあくまで迎撃の一種であり、専守防衛と矛盾しないとの理論構成が採られてきた。

２０２２年８月、アメリカのペロシ下院議長の台湾訪問に対し、中共が、台湾を取り囲む形で大規模軍事演習を行った。日本の排他的経済水域（ＥＥＺ）にも弾道ミサイル５発が着弾している。

実際に台湾侵攻となれば、中国軍は、琉球諸島の南部海域（台湾の北部海域）の封鎖を図るだろう。実戦性を重視し、習近平自身が、複数のプランの中から日本のＥＥＺと重なる案を選んだという。まさに「台湾有事は日本有事」が眼前に展開されたわけである。

なお中国外務省の華春瑩（かしゅんえい）報道局長が同月５日の会見で、「ＥＥＺの件については、日本も分かっているように、両国は関連海域でまだ境界を画定していない。ＥＥＺに関する言い分は存在しない」と日本側の抗議を撥（は）ねつけている。

ちなみに華は、河野太郎外相（当時）が、鼻の下を伸ばしたツーショット自撮り写真を２度にわたってツイッターに載せ、国内外で顰蹙（ひんしゅく）を買った当の相手女性である。アメリカの国務長官が同じことをすれば、即日辞任に追い込まれただろう。しかし日本の政界では何の問題にもならなかった。ここにも国際常識と乖離した意識の低さが窺える。

「日本丸腰」を世界に喧伝する政府

さて、台湾侵攻作戦の一部として、あるいは独立した作戦として、中国軍が日本領土に攻撃を加えてきた場合、日本側は、南西諸島に配備された12式地対艦誘導弾などで応戦することになる。12式は、「対上陸戦闘に際して、洋上の艦船などを撃破する国産の対艦誘導弾」（防衛白書）。GPS誘導で命中精度が高い。

開発中の12式「能力向上型」はステルス性を高め、射程を大幅に伸ばしており、中国本土のミサイル基地なども攻撃可能となる。配備が急がれる兵器の一つである。

問題は、中共が事態をエスカレートさせ、「核の恫喝」に出てきた場合である。

発射直前に相手の核ミサイル基地を叩くという発想は現実的でなく、非常な危険を伴う。まず、中国も北朝鮮も移動式発射台（輸送起立発射機）をすでに運用しており、常時正確な位置情報を得るのは不可能に近い。防衛白書も移動式ミサイルは「発射の兆候を事前に把握するのが困難」と記している。

しかも点検や修理等のメンテナンス活動を発射準備と誤認する可能性も常に付きまとう。結果的にかなりの死傷者を出す不意打ち攻撃となり、相手に核ミサイル使用の口実を与えかねない。

実際、2022年4月1日、韓国の徐旭（ソウク）国防部長官が「（北朝鮮の）ミサイル発射の兆候が明確な場合には、発射地点や指揮・支援施設を精密攻撃できる能力を備えている」と発言したのに対し、北の独裁者金正恩の妹、金与正（キムヨジョン）朝鮮労働党副部長が「南朝鮮が我々と軍事的対決を選択するなら、我々の核戦闘武力は任務を遂行せざるをえない」と核報復を示唆している（同５日）。

さらに９月８日、北朝鮮は最高人民会議で「核戦力政策に関する法令」を成立させ、「指揮統制システムが敵対勢力の攻撃により危険に瀕する場合、核打撃が自動的に即時に断行される」（第３条）と明確に規定した。

こうした状況下では発射前に基地を叩く戦術では、危険な相手との危険な神経戦に陥りかねない。

やはり、相手が大量破壊兵器を用いたり、非人道的な無差別攻撃を行ったりした時点で、即座に相手の指揮命令系統中枢に「耐えがたい被害」を与える反撃戦略を抑止の基本とすべきだろう。その場合、先に述べた英国型の、潜水艦による「連続航行抑止」が最も合理的である。

中共は、台湾を包囲する軍事演習を行いつつ、８月８日、ニューヨークで開催中のＮＰＴ再検討会議の場で、「米国との核共有を繰り返し求めている。露骨な核の拡散だ」と日本を名指しで非難した。

これに対し日本側は「日本政府は核共有を検討していないと明確に表明している」と

「反論」したという。しかし強調すべきは、日本がいかに丸腰であるかという事実ではないだろう。

核共有は、先に見た通り核の傘の延長に過ぎず、日本独自の判断で使用できない。だから不十分であり、「検討しない」というなら分かる。しかしその場合、独自核抑止力の保有を真剣に追求せねばならない。

２０２２年12月16日、岸田政権は、安保三文書（国家安全保障戦略、国家防衛戦略、防衛力整備計画）を閣議決定した。

その中で、ミサイル防衛だけでは進化する攻撃側ミサイルに対処できないとして次のように規定している。

相手からミサイルによる攻撃がなされた場合、ミサイル防衛網により、飛来するミサイルを防ぎつつ、相手からの更なる武力攻撃を防ぐために、我が国から有効な反撃を加える能力、すなわち反撃能力を保有する必要がある。

ようやく「反撃能力」に踏み込んだ点、正しい認識だろう。そして反撃の対象は、相手のミサイル基地に限定せず、指揮命令系統の中枢部を含まねばならない。

安保三文書はしかし、「非核三原則を堅持するとの基本方針は今後も変わらない」とも規定している。これは誤りである。通常戦力による反撃だけでは、相手司令部の無力化は困難で、抑止力として充分ではない。反撃ミサイル１発につき、地上の構造物を１つか２つ破壊できる程度だろう。

核攻撃の脅しに対しては、やはり敵の指揮命令系統中枢を壊滅させられる核による対抗手段の明示が欠かせない。

ちなみに、ソ連が人工衛星の打ち上げに成功し、ミサイル開発先行を印象付けたスプートニク・ショック（１９５７年）を受け、ＮＡＴＯ首脳会議が核共有を決めたのが同年12月であった。英仏は同時に独自核の開発も加速させた。先に引いた鳩山一郎首相「座して死を待たず」答弁の約1年後である。

山口公明党代表の言うように、日本が70年前の議論に固執しているのが悪いのではない。70年前に始めるべきだった本格的な抑止力論議をいまだに始めていないことが問題なのである。

世界を震撼させた13日間

核共有の不安定さに関して興味深い事例がある。米ソ核戦争も懸念されたキューバ危機の収拾にあたり、NATOの「核共有ミサイル」が取引材料として撤去された。

1962年10月16日早朝、ソ連が、米フロリダ州から目と鼻の先のキューバに核ミサイルを搬入し設置を進めているとの情報がケネディ大統領に届く。「世界を震撼させた13日間」の始まりである。

以後、緊張状態が続いたが、最終的に、ソ連がキューバから核ミサイルを引き揚げ、一方アメリカは、「キューバ不侵攻宣言」を発すると共に、ソ連に近接したトルコに配備済みの核ミサイル（ジュピター・ミサイル15基）を撤去するとの妥協が成立し、危機はひとまず終息した（同月28日）。

ジュピターは「核共有」システムの下で運用されていた。米大統領とトルコの国家元首がそれぞれ核ミサイルの認証コードを握るダブルキー・システムである（すなわち両首脳が拒否権を有する）。皮肉なことに、ジュピターは、キューバ危機のさなかの10月22日に正式にトルコに引き渡されていた。

潜水艦発射のポラリス核ミサイルが翌１９６３年春に地中海で運用開始予定だったこともあり、ケネディは元々、敵の先制攻撃に対して脆弱な地上配備のジュピターには懐疑的だった。

しかし核共有はＮＡＴＯ全体の決定であり、アメリカの一存で撤去はできない。またジュピターには、欧州に対する米国の核保証の象徴という意味があり、キューバ危機解決のために撤去となると、アメリカが自国の安全のためにヨーロッパを蔑ろにしたと取られかねなかった。

しかし10月26日、ソ連のフルシチョフ第一書記が公開メッセージの形でジュピター撤去を求めてくる。一方、トルコ政府は、取引は受け入れないとの声明を出した。

決断を迫られたケネディは、秘密合意とすることを条件に、４、５か月以内のジュピター撤去をソ連側に約束、フルシチョフもこれを受け入れた（ロバート・ケネディ司法長官とドブルイニン駐米ソ連大使が詰めの交渉に当たった）。

ケネディ政権は欧州ＮＡＴＯ諸国を次のように説得した。ジュピターを撤去しなければ米ソ合意は成立せず、アメリカはソ連製ミサイルを破壊するためキューバ侵攻を実行せざるを得ない、ソ連は間違いなくトルコのミサイル基地に報復攻撃してくる、NATO側もソ連黒海艦隊への攻撃など一段の反撃を余儀なくされる。ソ連は戦線を拡大し、西ベルリンを併合するかも知れない――。

ジュピターは時代遅れで、潜水艦発射システムに転換することによってNATOの抑止力はかえって強化されるともケネディは強調した。

こうした脅しを交えた説得が功を奏し、ジュピターはNATO合意の形で撤去に至る。以上の経緯に照らせば、仮に日米で核共有を実現しても、ジュピター同様、危機的状況において真っ先に取引材料とされかねない。

なおフルシチョフは、キューバに持ち込んだ核兵器のうち、米本土に届く中距離ミサイルは、自身の許可を発射の必須要件としたが、短距離の戦術核については、米軍がキューバ上陸作戦を敢行した場合、現地のソ連軍司令官が独自の判断で使用してもよいとしていた（ただし危機の最終段階で撤回）。

米統合参謀本部は一貫して軍事攻撃を主張していたから、米ソ核戦争の可能性は、少なくとも局地的には実際あったわけである。現在懸念されるロシアの核使用も、ウクライナ軍が海上からクリミア半島奪還作戦に出た場合など十分ありうるだろう。

ここで改めて注目すべきは、ジュピター（固定地上ミサイル）から、ポラリス（潜水艦発射ミサイル）への転換だろう。現在、ＮＡＴＯでは、質量ともに圧倒的な核戦力を持つアメリカ以外に、イギリスとフランスが独自の核抑止システムを保有している。

イギリスについてはすでに触れた。フランスは英国同様、４隻の核ミサイル搭載潜水艦を運用すると共に、空軍基地及び空母に核爆弾搭載戦闘機を配備している。しかしロシアの防空システムが強化され、突破が困難となる中、核戦闘機は削減される傾向にあり、いずれは英国同様、潜水艦のみで核抑止力を維持する態勢になると見られている。

侵略国家の核攻撃から国民を守るため、日本が英仏同様のシステムを採ることに、何の道徳的問題もない。「唯一の被爆国が核を持つなど許されない」は悪しき洗脳に過ぎず、「第三の核の惨禍を避けるため核抑止力を持つ」こそが論理的である。

私が知る限り、日本核武装に関してアメリカで最も多い反応は、「日本側の考えや方針はどうなのか、まずそれを聞かせて欲しい」というものである。頭ごなしに「必要ない」「認められない」と否定する向きは、かつてはいざ知らず、今ではさほど多くない。

北朝鮮や中国、さらにはロシアの核の脅威に直面する同盟国日本が本気で核抑止力保有を追求するに至ったと感じ取れば、賛成に傾く米国人は増えるだろう。

独自核抑止力の保有と米国との核共有、「核の傘」重視は相互に排除し合うものではない。すなわち二者択一、三者択一で考える必要はない。

重層的に捉え、すべてを備えるのが最善との姿勢で、出来る部分から手を付けていけばよい。現にイギリスはそうしている。日本でおかしいのは、独自核だけを頑なに排除する態度である。

アメリカの「核の傘」に完全に頼るというのは、米大統領に、アメリカを守るか日本を守るかの究極の選択を強いるという意味でもある。日本が独自核を持てば、そこまでの選択を他国のリーダーに迫らなくて済む。核抑止力を分担するのは同盟国の責務ともいえるだろう。

英国でも、サッチャー政権が潜水艦発射核抑止システムのレベルアップに乗り出した時、何も最新鋭の多弾頭ミサイルを持たなくてもよい、米国の「核の傘」を信頼しないのか云々の議論が起こった。

サッチャー政権は以下のような意思統一を行った。

アメリカの「核の傘」の信頼性については議論しない。英米関係を不必要に緊張させるだけであり、もし聞かれれば、「信頼する。しかし独自核抑止力のレベルアップもする。

そのことで同盟全体としての抑止力が高まり、英米両国にとって望ましい」と答える——。

極めて常識的な発想だろう。

呆れる日本のマスコミ報道

特に核問題に関して日本のマスコミは、一般に軽重（けいちょう）の感覚を欠く。呆れるようなケースも多い。

２０２１年７月16日、東京五輪のため来日中だったトーマス・バッハＩＯＣ会長が、広島を訪れて原爆慰霊碑に献花し、原爆資料館を見学したのち、スピーチを行った。

それから約１か月を経た８月12日、地元の中國新聞が「スクープ記事」を出し、バッハの警備費（３７９万円）に関し、広島県と広島市が「ＩＯＣや東京五輪・パラリンピック組織委員会側に負担を求めたが受け入れられなかった」ため、県と市が全額を「折半することが11日、分かった」という。重大なスキャンダルのごとき書きぶりである。

しかし、バッハの広島訪問は、そもそも県側の要請に基づく。中國新聞自ら、「県はこ２年以上、バッハ会長の広島訪問をＩＯＣに働き掛けてきた。県が要望した慰霊碑献花、資料館見学、被爆者との対談、メッセージが全てかない……」と書いている（7月16日付）。酷暑の中、背広ネクタイ姿で献花し、すべての要望を受け入れた遠来の客に「帰れ」と野次を飛ばした活動家らは論外として、警備費を問題にする地元メディアも普通ではない。

中國新聞はこうも書いている。バッハは、「『平和に五輪運動として貢献する』と強調したが、核兵器の廃絶に触れなかった」。だから不十分なスピーチだったと言いたいらしい。「また、県被団協や松井一実市長、秋葉忠利前市長たちが五輪開催中だった8月6日に選手たちに黙禱を呼び掛けるようそれぞれＩＯＣへ要請したが、実現しなかった」という不満も記す。

バッハは核保有国の首脳でもなければ、国連の軍縮問題担当者でもない。核廃絶に何の影響力も持たない。演説で触れてもよいが、触れなかったから訪問の意義が落ちるものでもないだろう。

原爆の投下時刻に合わせた黙禱については、実現すれば日本人として感慨深いが、世界の歴史を振り返れば悲惨な事柄は限りなくある。「原爆被害は特別」と主張して広範な理解を得られるとは限らない。

競技を頻繁に中断しないためには、また五輪を舞台とした様々な歴史戦のパンドラの箱を開けないためには、黙禱は原則として行わないとする以外ないだろう。

それでもバッハは、現地訪問によって、ある程度「ヒロシマ」を特別視する姿勢を見せた。なお不満をいうのが国際常識に適う態度とは思えない。

要求を重ねるほどに相手は精神的な疲れを覚え、「ヒロシマ」から距離を置きたいと思うだろう。中國新聞に英語版がないのは幸いだった。

戦争中であっても、非戦闘員の無差別殺戮は許されない。市街地への原爆投下は明らかな戦争犯罪である。このジェノサイドを経験した広島がバッハＩＯＣ会長に注文を付けるとすれば、彼の権限が及ぶ北京ジェノサイド五輪の開催地変更だったのではないか。

広島の知事や市長がメディアの前で、「人道に対する罪」を犯している中共に五輪を主催させるのはおかしいとバッハに迫っていれば、一定の国際的ニュースにはなっただろう。

核兵器を使わなくとも、毛沢東のように６５００万人以上を死に追いやることは可能である。中共や北朝鮮のような非道な政権に存続を許すのは、長期にわたって核兵器を使わせつづけるのと変わらない。

余り原爆に視野を局限すると、腹黒い勢力が裏でほくそ笑むことにもなろう。

第3章

米中対立

1．台湾有事は日本有事

バイデン「軍事介入」発言を読み解く

ジョーは心優しい男。ただ頭の中にフィルターが入っていない。思ったことをそのまま口にする。だから失言が多い。

正副大統領として8年間を共に過ごし、ジョー・バイデンを最もよく知る一人、オバマ元大統領の言葉である。

バイデン自身も回顧録の中で、あるジャーナリストの、それなりに的を射たバイデン評として、次の言葉を引いている。

ジュージュー焼き音は聞こえるがステーキが出てこない。

周囲に期待を抱かせる立派な発言をするが、結果につなげる行動力に乏しい、という意味である。こうした自身にマイナスとなる評も悪びれず引く辺りが、衒(てら)わない性格として支持者に迎えられてきた一因だが、充分地に足の着いた政治家でないことは間違いない。

そのバイデン大統領が２０２２年、東京で、台湾に関して大いに注目を集める発言をした。記者の「あなたは台湾を守るため軍事的に介入する意思がありますか」という質問に、「イエス。それが我々の公約だ」と答えたのである（5月23日）。

同種の発言をバイデンは前年にも2度行っており、直後に匿名の側近が「アメリカの政策は何ら変わっていない」と中身を曖昧にする「真意の説明」を行うパターンも都合３度目となった。その後も同様のパターンは続いている。

何度も同じ発言をしたとは、裏を返せば、真意と本気度が明らかでないため、何度も同じ質問をされたということである。バイデンは２０２３年2月の一般教書演説で「台湾」という単語を一度も発せず、真意の不明度をさらに高めた。

米国の台湾関係法（米中が国交を樹立した１９７９年に制定）は、「台湾の人々の安全および社会・経済システムを危うくする力の行使や、その他の強制に抵抗する米国の能力を維持する」と記している。この「抵抗」という表現は北大西洋条約（ＮＡＴＯの基本条約）や日米安保条約とも共通する（それぞれの第3条）。

しかし相互防衛を約したNATOでは「軍事力の行使を含む」の文言があるが、台湾関係法にはない。それが、米軍の介入が有るとも無いとも不分明な「戦略的曖昧」の源泉となってきた（ちなみに相互性を日本側が忌避したため、日米安保にも「軍事力の行使」の文言はない。その意味で台湾の不安定さは他人事ではない）。

米中の軍事力に大きな開きがあった間は、「戦略的曖昧」でも十分な抑止力となった。

しかし近年、中共が対外的な「強制」姿勢を強め、さらには香港の自由圧殺、ロシアのウクライナ侵略などの新状況を受け、米国では共和党議員を中心に、「戦略的曖昧」ではもはや不十分で、米軍介入を明示した「戦略的明確」に移行すべきとの議論が高まってきた。

民主党でも、海軍出身で、横須賀を母港とする米第7艦隊の旗艦ブルーリッジの乗組員だったエレーン・ルリア下院議員等を中心に戦略的明確を公然と主張する勢力が現れた。

ちなみに、2022年4月12日付で安倍元首相がロサンジェルス・タイムズに寄稿した「アメリカは、中国の侵略に対して台湾を防衛すると世界に明示すべきだ」と題する一文は、タイトルが端的に示す通り、同じ趣旨を日本から発信したものであった（となれば当然、日本自身の対応も問われることになる）。

従ってバイデン発言は、あらぬ方向に弾を撃つ類の失言ではない。野党共和党においても、記者会見での言葉は正しいとの評価が一般的だった。ただし側近による「訂正」を漫然と許し、自身の考え（明確なものがあるとして）の政策化に向けて何ら指導力を発揮しない点を厳しく批判する。

代表的な反応を一つ紹介しておこう。

イラク、アフガン戦線での軍務経験もあるトム・コットン上院議員（共和党）はまず、バイデン発言自体は「今やアメリカにとって正しい政策である。台湾に対する戦争を抑止する最善の道は、アメリカが台湾の来援に駆け付けることを疑問の余地なく明確にする戦略的明確だ」と評価する。

しかし続けて、政権全体としての対応ぶりを厳しく批判する。

不幸なことに、３度にわたって我々が見たバイデン大統領の態度は戦略的曖昧でも明確でもない。混乱し混迷した曖昧さだ。大統領はアメリカの政策を変更したかに見えつつ、直後に匿名のホワイトハウス・スタッフが訂正することを許した。これは抑止に資することなく挑発するという最悪の取り合わせだ。

戦略的明確を真に戦略と呼べるものとするには、まず大統領が自身の考えを整理した上でスタッフに徹底し、同時に米国内における超党派の合意作り、同盟国との踏み込んだ協議や合同演習の実施などに乗り出す必要がある。

そうした行動が伴わなければ、バイデン発言は結局のところ「空砲」だったとなり、コットンらが危惧する通り中共の侮(あなど)りを買って、情勢をかえって不安定化させかねない。

習近平に甘すぎる

2022年8月9日、台湾訪問を含むアジア歴訪を終えたナンシー・ペロシ米下院議長は、MSNBCテレビのインタビューに応えて、習近平をこう評した。「彼は怯えたいじめっ子のように振る舞っている」(He's acting like a scared bully.)

分かりやすい表現である。しかし甘すぎるとも言える。中共が今や益々露骨に狙うのは、自由な台湾の暴力的な併合であり、いじめと言うよりレイプに近いからである。

日本は梯子を外されるな！　　(Getty Images)

盧沙野・駐仏中国大使のように、新疆ウイグル「自治区」で進行中のジェノサイドを示唆しつつ、併合後は、台湾人に「愛国心」を注入する「再教育」が必要だと語った正直な「戦狼外交官」もいる（8月3日）。ちょうど蔡英文・ペロシ会談が台北の総統府で行われた当日の発言であった。

ちなみに国連ジェノサイド条約にいうジェノサイド（集団殺害）とは、特定の集団を「集団それ自体として破壊する意図をもって」なされる非道な行為全般を指し、殺害だけでなく、「精神的な危害を加えること」や「子どもを他の集団に強制的に移すこと」なども含まれる。

習近平が「いじめっ子」たる本質を改める

ことはないだろう。トランプ政権で国務長官を務めたマイク・ポンペオは、自分が会った世界のリーダーの中で、習近平はとりわけ陰気で不快な人物だったと回想している。問題は自由主義陣営が、台湾侵略はコストに見合わず、逆に自らの破滅をもたらすだけと習が痛感するほどに「おびえ」の度を上げていけるか否かである。これを安倍元首相は、「中国が台湾侵攻をあきらめる状況を作っていくことが大切だ」と表現していた。

そのために最も効果的なのは、アメリカが、「曖昧戦略」を改め、台湾有事における米軍の介入方針を明確にすることである。併せて、中共側の台湾海上封鎖や禁輸などの「兵糧攻め」にも効果的に対応する態勢を構築せねばならない。

この点で、2022年に当のアメリカのみならず国際的に最も帰趨が注目された法案が「台湾政策法」であった。ここには「米中激突」シナリオにつながる要素が様々に描かれている。米政治の動きを摑む上でも示唆に富む。要点をまとめておこう。

まずボブ・メネンデス上院外交委員長（民主党）とトランプ大統領に非常に近かったリンゼー・グラハム上院議員（共和党）という実力者2人が正副提案者となって、外交委員会に提出した超党派原案では、「台湾は、NATO域外にある主要な同盟相手の一つと位置づけられる」と、台湾を事実上独立の存在として自由主義陣営の一角に位置付ける立場を明らかにしていた。

さらに、現行の「台湾関係法」にある、台湾に「防衛的性格の武器を供与する」という条項を強化し、「防衛的性格の武器および中国人民解放軍による侵略を抑止するのに役立つ武器を供与する」に改めている。

すなわち、中国内の基地や指揮命令系統に甚大な被害を与える抑止的（＝攻撃的）性格の兵器も提供するとの意思表示である。

その関連で、台湾が「十分な自衛能力を維持」できるよう協力する、とした現行法の規定を、「人民解放軍による強制行為や侵略を拒否し抑止する戦略を実行」できるよう協力する、に書き換えるとしていた。ここでも「抑止」を付け加え、さらに「戦略を実行」とすることで、攻撃作戦をも支援する姿勢を打ち出したものである。

「金融制裁」という最も強力な攻撃カード

国務長官は国防長官と協力のもと、米軍需企業に、台湾からの注文を最優先で処理させねばならないとの規定もある。

軍事侵攻に至らない圧迫行為に対する経済制裁にも言及し、中国が「顕著に敵対行為をエスカレートさせた場合」には、米大統領は金融制裁を含む制裁を発動せねばならないとする。中国工商銀行、中国建設銀行、中国銀行、中国農業銀行の中国4大商業銀行をはじめ、制裁対象とする金融機関を具体的に列挙してもいた。

米ドルが今なお基軸通貨であり、ニューヨーク・ウォール街が国際金融の中心である状況下、中国の銀行が米銀に持つ口座の凍結などの金融制裁は、アメリカが用い得る最も強力な攻撃カードである。

以上が「台湾政策法」原案の骨子である。

なお現行の台湾関係法では、台湾への脅威発生時に、「大統領と議会は、憲法の手続きに則って、適切な行動を決定する」と相当な時間が掛かると思わせる書きぶりになっている。これでは米軍が動く前に既成事実を作れると中共を「誤認」させかねない。

そのゆえ共和党側は別に、「(中共の侵略に対し) 大統領は、米軍を用いて必要かつ適切と考える措置を取る権限を与えられる」と即応性を強調した「台湾侵攻防止法案」を上下両院に提出している。

訪台中止を求めたホワイトハウスの幹部たち

では、結局「台湾政策法」はどうなったか。

結論を言えば、安保関連の法案及び予算案をひとまとめの形で毎年通す「国防権限法」に一部組み込まれ、相当部分が積み残される形で２０２２年の年末にひとまず決着した。

まず積極面では、５年間で最大１００億ドルの台湾軍事支援予算が確保された。さらに台湾からの武器購入要請に優先的かつ速やかに応じることも規定された。即応性を高めるための米台合同軍事演習の実施も盛り込まれた。

米政府職員5～10人程度を毎年台湾に派遣することや国際機関への台湾参加を促進することなどの外交措置も決定された。

一方、原案にあった対中金融制裁規定は全て削除された。「深刻な結果を、あらかじめ示す」ことで抑止力を高める側面は、明らかに原案に比べ弱くなった。

「曖昧戦略」を維持したいというバイデン政権の意向が反映しての大幅後退だった。

台湾問題をめぐるバイデン政権の認識および対応は控えめに言っても腰が定まらない。

一例を挙げておこう。

ペロシ下院議長訪台の約2週間前（2022年7月20日）、バイデン大統領が「軍は（ペロシ訪台は）今はよくないと考えていると思う」（I think that the military thinks it's not a good idea right now.）と中共の脅しに屈するかのごとき発言をした。

「軍」とは統合参謀本部を指すのだろうが、米軍の最高司令官はあくまで大統領である。統参本部は軍事作戦面のアドバイスを行うに過ぎず、軍としての最終判断は、内外の状況全般を勘案して大統領が行う。

ところがバイデンの場合、「撤退・中止」方向の決定を統参本部の責任に帰する悪しきパターンが目に付く。2021年夏のアフガニスタンからの壊走が典型である。ペロシ訪台をめぐってもバイデンの無責任さが露呈したと言わざるを得ない。

ペロシ自身は、バイデン発言の意味を問われて、「おそらく軍は、我々の飛行機が中国側に撃墜されることを恐れたのだろう」と答えているが、中国戦闘機が牽制のため異常接近するくらいはあり得ても、下院議長の乗った米軍機にミサイルを撃ち込むとは考えにくい。

明らかなのは、ホワイトハウスの幹部たちが繰り返し、ペロシに訪台中止を求めた事実である。しかしペロシが、「それならバイデン自身が正式に要請し、その旨公表しろ」と迫ったため、沙汰やみになったという。バイデン政権の弱腰、ふらつきは明らかだった。

先述したように、ペロシ訪台への報復として、中共側は台湾を取り囲む形で大規模な海空軍演習を行った。琉球諸島南部の日本の排他的経済水域（ＥＥＺ）にも弾道ミサイル５発が着弾した。

アメリカとの２国間気候変動（脱炭素）協議の停止も通告した。

問題は、こうした中共の一連の措置に対する米側の対応である。

中国軍が台湾包囲演習を始めた当日、バイデン政権は準備が完了していた大陸間弾道弾（ＩＣＢＭ）ミニットマンⅢの発射実験延期を決めた。

ホワイトハウスのカービー戦略広報調整官は「中国が不安定を呼ぶ軍事演習を台湾の周りで行っているので、アメリカは逆に、誤算と誤認のリスクを軽減することによって、責任ある核保有国の態度とはいかなるものであるかを示したい」と延期の理由を述べている。

ミサイル実験の延期はこの時が初めてではなかった。当初、２０２２年３月に実施予定だったが、２月下旬にロシアがウクライナ侵略を開始したため、ロシアを刺激すべきでないとして急遽中止された。その後、発射の日時を再設定したが、今度は、中共の台湾圧迫に対し、中共を刺激すべきでないとして再延期されたわけである。

この決定に対しては当然ながら、「力を通じた平和」を掲げる保守派から強い批判が出た。例えば下院軍事委員会の共和党筆頭理事マイク・ロジャーズ議員（2023年1月から軍事委員長）は次のように述べている。


これらの弱腰で大仰な身振りの宥和的試みは、我々の即応態勢を傷つけ、敵対勢力の更なる侵略を招くだけだろう。


ただし米軍は、横須賀を母港とする空母ロナルド・レーガンを台湾近海に派遣するなど一定の牽制行動は取っている。延期されたミニットマンⅢの発射も、ペロシ訪台から約2週間後の8月16日に実施された。性能向上のため年4回実験が通例のため、それ以上先送りはできなかった。

米軍部は中共に対し弱腰の対応は取っていない。問題はホワイトハウスである。

ＩＣＢＭ実験の度重なる延期に見られたような「敵の侵略行為に対し自制で応じる」姿勢が基調となるようなら、ロシアも中共も、さらには北朝鮮やイランも、「バイデン弱し」

と見て、反社会的行動をエスカレートさせてくるだろう。

脱炭素合意などハナから守る気はない

先に触れたとおり、ペロシ台湾訪問への報復として、中共は米中「気候変動」交渉の停止を発表した。「気候変動こそが、安全保障上最大の脅威」であり、「この問題では中国もパートナー」と脱炭素原理主義を掲げてきたバイデン政権としては、小さからぬ衝撃だった。

人間起源の地球温暖化論は科学的根拠が希薄で、二酸化炭素（CO_2）の排出を抑えるにしても、テクノロジー開発によるエネルギーの効率使用を通じて、無理なく進めていけばよいと考えるトランプ政権においては、そもそもCO_2削減は米中交渉のテーマたり得なかった。

「中国こそが安全保障上最大の脅威」であり、パートナーではなく締め付け対象だったのである（なお、国際エネルギー機関の報告によると、一般の印象とは逆に、トランプ時代のアメリカは、CO_2削減の絶対量で世界1位となっている）。

一方、バイデン政権は、CO_2排出量で1位と2位の中国とアメリカが大いに踏み込んだ削減合意を結び、日本をはじめ他国に追随させるという方針を立て、ジョン・ケリー気候変動担当大統領特使を中心に中共との交渉に力を入れてきた。

しかし中共側は「脱炭素交渉」を、バイデン政権を揺さぶるカードとしか見ていない。もちろんケリーも、上院外交委員長や国務長官を歴任したベテラン政治家であり、単純に中共にたぶらかされているわけではない。

統計を自由に操作できる独裁政権の「脱炭素公約」に意味はないことは分かっている。その上で、米国内向けの「実績」アピールと、日本のようなナイーブな国に梯子(はしご)を上らせることを狙って、「大胆な合意」を中共側に働きかけてきた。しかしいずれにせよ、中共から見れば「大胆に付け入るべき隙(すき)」だろう。

バイデン政権が「気候変動交渉中止」という中共の脅しを前に譲歩した例は少なくない。中国最大の通信機器メーカー、ファーウェイ（華為技術）の最高財務責任者・孟晩舟（トランプ政権の依頼でカナダ政府が、イラン制裁法違反容疑で身柄拘束した）の、曖昧な司法取引に基づく解放などが一例である。

ペロシ訪台に絡めて中共は、脱炭素交渉停止をおおやけに宣言してきた。台湾問題は他の諸懸案より格段に重要で、裏取引の余地はないと米側に釘を刺したわけだろう。これに対し、ケリーが恨み節のような長い連続ツイートを発信した（８月６日）。

要点のみ引いておこう。

「当初からアメリカは、中華人民共和国との気候協議はその他の難題とは分けられるべきだとの立場を明確にしてきた」。ところが中共は事を台湾問題とリンクさせ、二国間協議を「一方的に停止」してきた。これは「失望させる、誤った」決定である。「協力の停止は、アメリカを罰するのではなく、世界とりわけ発展途上国を罰することになる」。

このケリーの姿勢を米保守派は強く批判した。例えばジョン・ボルトン元大統領安保補佐官は、「こうした優柔不断な、弁明調の振る舞いが中国側の好戦的態度を生み、インド太平洋地域の国々を不安にさせる」と述べている。

中共としては、いかなる米中脱炭素合意ができようが、ハナから守る気はない。交渉停止を深刻な「罰」と捉えるケリーを見て、ますます揺さぶれると感じただろう。中共側は「交渉復帰」を、台湾問題その他で譲歩を引き出すカードと位置付けている。残念ながらバイデン政権が続く限り、中共の「脱炭素で協力か非協力かはアメリカの態度次第」というジェスチャーは効果的であり続けるだろう。

「冷戦を勝利で終わらせた」レーガン大統領は、中東の友好国サウジアラビアに石油増産を働きかけてエネルギー価格を低下させた。財政を石油輸出に頼るソ連やイランに打撃を与える効果を狙ったものだった。見返りに、同盟国イスラエルの反対を押し切ってサウジへの戦闘機供与を実行している。

脱炭素原理主義に迎合して石油産業を悪魔視し、軍事協力のレベルも落とすことでサウジを怒らせ、中国側に追いやったバイデン政権とは真逆の対応だったと言える。

なおトランプ政権は、ナノテクノロジーなど戦略分野の最新研究成果を中国に流していたとされる大学教授ら（かなりは中国系）を少なからず起訴したが、バイデン政権になって司法省が次々に起訴を取り下げている。

リベラル派が支配する大学世界では、任用責任を問われては困るとの思惑もあり、「トランプのレイシズム」が中国系教員を狙い撃ちにしたとして、当該教員をかばう立場を採るのが普通である。

教員、学生含め大学を重要な支持基盤とする民主党バイデン政権が大学当局に迎合して起訴取り下げに走ったのではないかとの疑念が、ここでも付きまとう。

中国により厳しい姿勢を取る共和党が多数を占める下院で、事実の究明と法執行強化の動きがどこまで強まるか注目される。

防衛省の外で隠れて会う日台の軍関係者

２０１８年3月16日、上下両院を全会一致で通過していた「台湾旅行法」がトランプ大統領の署名を得て成立した。中国側が「米中関係のレッドラインを超えるもの」と強く廃案を求めていた法案だった。

意識的に何気ない名称を付されたこの法案が、なぜそれほど中国政府を刺激したのか。アメリカの議員やビジネスマン、旅行客は従来より台湾を訪れていた。台湾側の訪米についても同じである。

ポイントは同法が、「アメリカ政府のすべてのレベルの当局者が台湾側のカウンターパートに会うために台湾を訪れることを認めるべき」とした後に、特に「閣僚レベルの国家安全保障当局者や軍の将官を含む」と強調している点にある。

すなわち国防長官や陸海空・海兵隊の将軍クラスを含む米軍当局者と台湾の軍当局者との直接協議を促進することに、法の最大の狙いがあった。

台湾側当局者の訪米についても、「台湾の高官が米国入りすることを、そうした高官の威厳にふさわしい敬意を表しつつ、認めるべき」とした後に、米側が応対し、会談を持つカウンターパートとして「国務省と国防省の当局者」を特記している（ちなみに、日本にも同種の法律があれば、安倍元首相銃撃事件の直後に弔問に訪れた台湾の頼清徳副総統を、記者会見で「御指摘の人物」扱いした林芳正外相の行為などは処分対象になるだろう）。

台湾旅行法によって、米台の間では、軍当局者同士による直接協議に明確な法的裏付けができた。

問題は日本である。

「台湾有事は日本有事、日米同盟有事」が一段と現実性を帯びる中、日米台3か国の国防当局者による戦略協議は待ったなしの課題となっている。ところが「日台」が欠けた環のままとなっている。

日台の軍関係者同士はいまだに防衛省の外で隠れて会う状態が続いている。

日本版・台湾旅行法を早急に作るべきだろう。実際、台湾側からは具体的に要請が出されている。

2022年8月8日、超党派議員連盟「日華議員懇談会」（日華懇。古屋圭司会長）が来

日中の台湾「亜東国会議員友好協会」代表団と国会内で会合を開いた。同協会会長の郭国文立法委員（国会議員に相当）は「日台関係を人と人のつながりだけではなく、法整備についても深めていきたい」と語り、「台湾旅行法」の制定を日本側に提案した。

郭は来日前に産経新聞のインタビューに応じ、日台の政治関係は、李登輝元総統や安倍元首相のような個人の力によって支えられてきた面があり、「その個人が存在している間は非常に安定するが、常に継続性に不確定要素がつきまとう。安倍氏がいなくなり、今後の台日関係にいささか不安を感じる」と述べている。

郭はここでも米国の台湾旅行法に触れ、中国の圧力に抗する法的根拠となっており、「日本版『台湾旅行法』が実現すれば、台日関係がより深く、安定したものになるだろう」と語っている。

尖閣防衛だけではアメリカは乗ってこない

この種の法案は、政府提出を待つと、通常、いつまでも出てこないか、徹底的に骨抜きされた内容のものしか出てこない。有志議員が中心となり、超党派の議員立法で成立を図るのが正解だろう。

米保守系紙ウォールストリート・ジャーナルは社説で、台湾有事に際して「米国が介入し、英豪日も加わると知れば、習近平国家主席は侵攻のコストを考えて若干立ち止まるだろう」と書いている（2022年5月23日）。

「台湾有事は日本有事」であり、尖閣諸島（沖縄県石垣市）を含む先島諸島は、どれほど戦闘区域が局限されたとしても、間違いなく「台湾戦域」に入る。台湾に近接している上、中共は、尖閣を中華人民共和国台湾省の一部と規定しているからである。

尖閣に対する侵略を抑止するには、周辺における日米の合同軍事演習が効果的だが、尖閣防衛だけを掲げては米側が中々乗ってこない（特に民主党政権においてそうである）。島の領有権をめぐって日台の見解が異なるという問題もある。

「台湾戦域」全体に抑止力を効かせる米軍中心の演習に日本も参加する形でない限り、「尖閣を守る合同演習」の実現は難しいだろう。日本も行動を求められている。

なお尖閣に関する米政府公式の立場はいまだに、「尖閣諸島の施政権は日本が有している。力による現状変更に反対する。ただし究極の領有権についてはアメリカは立場を取らない」である。

映画会社ソニー・ピクチャーズを高く評価した理由

そうした中、尖閣を明確に日本領と認めよとの主張を早くから打ち出してきた有力政治家にマルコ・ルビオ上院議員（共和党）がいる。

そのルビオが２０２２年、日本の映画会社ソニー・ピクチャーズの姿勢を高く評価したことでも注目を集めた。

近年、ハリウッド映画のチケット収入は、本国米国で45億ドル、中国で73億ドルと中国市場の方が大きくなっている（２０２１年度）。

それゆえ映画界がともすれば中共のシナリオ改変圧力に屈する中、「ある日本企業がアメリカのために中国の検閲を拒否した。ありがとうソニー・ピクチャーズ」とルビオはツイートした（5月5日）。

これはスパイダーマンの最新作で「自由の女神」のシーンが愛米的過ぎるからカットせよとの中共側指示をソニーが拒否し、中国で上映できなくなった事案を指す。

ルビオは各種のテレビ・インタビューでも、「アメリカの企業ができないことを日本の企業がした」と強調している。

ハイライト・シーンだからカットできなかっただけと皮肉る声もあるが、皮肉を言う暇があったら、映画界は結束して集団防衛体制を組むべきだろう。中国市場の集団ボイコットも辞さずという姿勢が取れなければ、どこまでも舐められ、各個撃破される。

実際中国当局の検閲は、「中国を否定的に描くな」から「中国を肯定的に描け」を経て「アメリカを肯定的に描くな」にエスカレートしてきている。

なおキューバ難民を両親に持つルビオは、日本の宥和的な対キューバ姿勢には極めて批判的である。日本が中国にすり寄ったと見れば、真っ先に攻撃してくるだろう。決して、常に寄り添ってくれる類の親日派ではない。

無条件の親日派や親日国など存在しない。パワフルな友人ほど、裏切った時には怖い。国際社会の冷厳な現実だろう。

2．麻生太郎元首相「アメリカはその程度の国」発言

アメリカ「国際連盟不参加」の真相

麻生太郎元首相といえば、安倍政権下、副総理兼財務相として「史上最良の日米関係」（トランプ政権）を支えた経験豊かな政治家である。その麻生が、２０１７年6月2日、記者団を前に、地球温暖化対策パリ協定からの離脱を表明した「アメリカ」を強い言葉で非難した。

もともと国際連盟を作ったのはどこだったか。国際連合じゃないよ、連盟だよ。アメリカが作った。それでどこが入らなかったか。アメリカだ。その程度の国だということだ。

「その程度の国」とは穏やかでない。

確かに第一次世界大戦後、ウッドロー・ウイルソン米大統領の肝煎り（きもい）で発足した国際連盟に米国自身は参加しなかった。

オバマ大統領が主導したパリ協定から、後継のトランプ政権が離脱したのも同種の振舞いというわけである。

「では『その程度の国』に安全保障を頼っている日本はどの程度の国なのか」と切り返されたとき、麻生がどう答えるつもりだったか知らないが、ともかく、アメリカは無責任で身勝手な国というのが発言の趣旨だろう。

しかし麻生は、事実認識を誤っているのではないか。ファクトを確認しておこう。

アメリカでは憲法上、条約の批准には上院の出席議員の3分の2以上の賛成が必要である（大抵の国は議会の過半数の賛成で足りる）。確かに国際連盟加盟案（条約として提示された）は、他国に比べて高いこのハードルを越えられなかった。

当時野党の共和党が特に問題としたのは、連盟規約の第10条であった。同条は、「各国の領土保全及び現在の政治的独立を尊重し、かつ外部の侵略に対しこれを擁護することを約す」と規定する。これを受け入れれば、米国の国益と無関係な紛争にも自動的に巻き込まれかねない、というのが批判側の最大論点であった。

そこでヘンリー・キャボット・ロッジ上院議員率いる共和党指導部は、米国は第10条を義務とは見なさないとの「留保」付きで承認するという対案を出した。この留保案を投票に掛けた結果、民主党議員の過半数も同調して賛成多数となった（出席84人中49人が賛成、35人が反対。ただし、批准要件である「出席議員の３分の２」に７票届かなかった）。

しかしウイルソン大統領は、第10条は国際連盟の核心条項であり、「留保」は認めないとの立場を譲らなかった。この点、当時の米メディアや外交関係者の多くは、ウイルソンの姿勢を頑迷固陋（がんめいころう）と批判している。

ここでもし大統領が、第10条はあくまで努力義務規定程度のものとの認識で議会の多数派と妥協を図っていれば、賛成に回る与党議員がさらに増え、３分の２の批准ラインを越えただろうといわれる。そして連盟の他の加盟諸国が、第10条留保を理由に米国の参加を拒むことはあり得なかった。実際、他の国々も第10条を自動参戦規定とは見なしていなかった。

なお、国際機構に留保付きで参加するケースは珍しくない。日本も第二次大戦後、国際連合に事実上「留保付き」で加盟している（１９５６年12月）。

国連憲章第42条は、「安全保障理事会は、……国際の平和及び安全の維持又は回復に必要な空軍、海軍または陸軍の行動をとることができる」と規定する。

しかし日本は、たとえ安保理の要請があっても（自らが非常任理事国として「必要なあらゆる行動」を加盟国全体に要請した場合ですら）、憲法上、軍事行動には参加できないとの立場を採っている。身勝手と言われても仕方ないだろう。

ちなみに米議会では、まさにこの点を捉えて、日本の安保理常任理事国入りに反対する声がある。他国に戦うことを求めながら自分は出ていかない国が常任理事国など、とんでもないというわけである。

少なくとも戦後日本に、国際連盟への留保付き参加を唱えたかつての米議員たちを批判する資格はないだろう。

なお、満州事変をめぐって非難決議が採択されたのを受け、日本は連盟本体から脱退したが、付属機関の活動には関与し続けた。この点はアメリカも同じで、連盟の発足当初から国際労働機関（ＩＬＯ）などの付属機関には参加し、事務局長まで出している。

アメリカは連盟本体に最初から参加せず、日本は途中で脱退した。アメリカが「その程度の国」なら日本も「ほぼその程度の国」ということになりはしないか。さらに突き詰めれば、そもそも国際連盟や国際連合にどの程度の意義があるのか、日本ではいまだ十分な議論がなされていない。

パリ協定「緑の気候基金」がテロ国家の軍資金に

次に、麻生が連盟非加盟と並んで批判するトランプ政権の地球温暖化対策パリ協定離脱について見ておこう。

米国は、テクノロジー開発を通じたエネルギーの効率利用を通じて、トランプ時代も含め、二酸化炭素（CO_2）の排出量を年々減らしてきた。そのスタンスを維持すると同時に、テクノロジーの提供によって国際貢献していくのが王道で、米企業の競争力を弱めるような過度の脱炭素規制は、規制の甘い中国企業を有利にし、シェアを拡大させてかえって地球環境を悪化させる、というのがトランプのみならず米保守派の支配的意見であった。

加えて、パリ協定が新たに設け、先進国に資金拠出が求められる「緑の気候基金」は、甘いリベラル派が多い国際官僚が機械的に途上国に分配するため、北朝鮮やイランのようなテロ国家の軍資金や住民弾圧資金に化けかねない。途上国への支援は必要だが、あくまで米国自身の判断で対象を選別し米国政府の責任で行うべき、というのも協定離脱派の主要論点だった。

以上のトランプ（というより共和党）の立場は、果たして麻生が言うほど非難されるべきものだろうか。むしろ日本にとって、学ぶべき点が多々あるのではないか。

麻生発言はこのように幾多の問題をはらんでいる。しかし、普段、麻生の片言隻句（へんげんせきく）を捉えて「大失言」扱いする野党や左傾メディアが、この時は何ら騒がなかった。その事実も深刻に捉えねばならない。トランプを批判し、温暖化合意に寄り添う発言なら、事実確認などどうでもよいわけだろう。

日本の政治家、マスコミ・サークルにおける対米認識は、現状、「この程度」なのである。

第4章 国連

複数の独裁国家から金銭を受け取る

2022年5月、国際連合人権理事会の下で実態調査や報告に当たる特別報告者アリーナ・ドゥハン（ベラルーシ国立大学教授）が、中国からの20万ドルをはじめ、複数の独裁国家から金銭を受け取っていたと国連監視団体UNウオッチが糾弾（きゅうだん）し、問題になった。

驚くべきことに、この事件に驚くべき点は何一つない。国連という組織の本質に由来する構造的な癒着である。まずはファクトを追っていこう。

事の起こりは、核兵器開発疑惑や人権抑圧に対する米国など関係国の制裁に反発したイランが、その不当性を訴えたことにある。2014年9月26日、国連人権理事会は、一見不可解な「人権侵害を理由とした一方的制裁を非難する決議」を賛成多数で採択した。その中で、実態調査に当たる特別報告者の設置も決められた（同決議22条）。

この決議を推進し、賛成票を投じたのは中国、ロシア、キューバ、ベネズエラなど32か国、反対したのは日米英独仏伊など14か国、棄権が2か国だった。

常識が邪魔をして意味を取り損ねた読者もいると思うので確認しておけば、採択されたのは人権侵害に対する制裁決議ではなく、それらの「人権制裁を非難する」決議である。

すなわち、米国など自由主義圏諸国が国連の枠外で科す人権制裁を牽制し、必ず人権理事会多数派の承認を必要とする仕組みとするため、非民主国家が中心となってこの決議を通したのである。

決議採択を受けて、2020年3月に特別報告者に就任したのが問題のドゥハン。ロシアのウクライナ侵略を盟友の立場で支えるベラルーシの独裁者ルカシェンコ大統領の御用学者である。

彼女は「国連」の看板を最大限利用して、精力的に独裁国家の「現地調査」に赴き、自由主義諸国によるイラン、シリア、ベネズエラ、キューバ、ロシア、ジンバブエなどに対する制裁は、現地の経済を悪化させ、国民を苦しめるだけだとする批判的発信を続けた。一方、独裁権力側の抑圧行為については一貫して沈黙した。

ウイグル人強制収容所その他が問題となる中国についても、「ウイグル人弾圧」など存在せず、実態は新疆ウイグル自治区の発展に資する職業訓練だと喧伝するシンポジウムに参加するなど、中共側のプロパガンダに寄り添ってきた。

倒錯の世界という他ないが、人権理事会の先の奇妙な決議に照らせば、ドゥハンはまさに「適任」であった。中共などからの金銭授受は、あくまで付随的な非行に過ぎない。存在意義を厳しく問われねばならないのは、何より問題の「人権制裁非難決議」を通した国連人権理事会であり、さらには上部組織たる国連そのものである。

人権理事会は「国際もみ消し工場」

人権理事会は、その名に反して、人権蹂躙国家群が談合し、互いの不正行為を闇に葬る「国際もみ消し工場」の様相を呈している。いつしかそう変質したのではなく、初めからそうだった。

まず個々の理事国に関わる事柄は取り上げないという談合的不文律がある。そのため理事国になってしまえば、どんな独裁国でも基本的に「安心」できる。定数47の理事国には、政情不安を抱え中共の買収工作に弱い貧困国なども少なからず入ってくる。国連総会で選出されるが、議席は地域グループごとに割り振られ、アフリカ13、アジア太平洋13、東欧6、中南米8、西欧その他7となっている（任期3年）。

では議席割り振りの変更や資格要件の厳格化が可能かというと、自国の人権問題に触れられたくない国々が多数を占める国連総会で枠組が決定される以上、あり得ない。すなわち人権理事会は、構造的に改革不可能な組織なのである。

　2018年6月、米トランプ政権が同理事会からの脱退および拠出金の支払い停止を決めたのは、以上のような背景があってのことだった。

　当時朝日新聞が社説で、「人権を重んじる大国を標榜してきた米国が、自らその看板を下ろす行動を続けている。（人権理事会は）国連総会が選ぶ47の理事国が集い、世界の人権を監視している組織だ」と説諭しているが、あまりに現実から遊離した議論で笑止という他ない。

　当時、ヘイリー米国連大使は、「偽善と腐敗」に満ち、「恐るべき人権抑圧履歴を持つ国々の隠れ蓑（みの）となっている人権理事会」にこれ以上正当性を与えないため、アメリカが率先して脱退したと述べ、国連は「米国やイスラエルを非難する独裁者のつまらぬ演説パフォーマンスに多くが立ち上がって拍手する場」に過ぎないと露骨に嫌悪感を表している。

　もちろん人権理事会にも、北朝鮮調査委員会を設置するなど例外的に功績はある（2014年に報告書提出）。しかし、これも報告書が、北と国境を接する中国の協力が得られなかったのは「大変遺憾」と特記したように、ファシズム国家群の妨害で実態調査に不十分な点が残った。

日本で根強い「国連第一主義」

元々疑問の多い国連の活動だが、事情は悪化している。最大の権限を持つ安全保障理事会は、拒否権を握る常任理事国5か国に中露が含まれ、ロシアのウクライナ侵攻非難決議すらできなかった（ロシアが拒否権発動、中国は棄権）。

果たして現在の枠組のもとにおいて、多少なりとも国連の改革が可能か。ジョン・ボルトン元米国連大使は、唯一の方法は運営資金の「割当拠出制」を「自発的拠出制」に改めることだという。

すなわち経済力＝国内総生産（ＧＤＰ）に応じて各国に拠出金を割り当てる現在のシステムを、各国が自主的判断で「機能的な事業にのみ資金を拠出し、コストに見合った結果を求める」システムに変えねばならないとの主張である。

国連も「市場テスト」に掛けようということだ。加盟国は、意義なしと判断した事業からは資金を引き揚げればよい。国連以外の事業体の方が効率的と判断すれば、そちらに資金を振り向ければよい。国連を優遇する理由はどこにもない。

日本では、中露が拒否権を持つこの異形の組織に跪拝する「国連第一主義」が根強いが、率直に言って国民の税金を浪費し、カモにされ続けるだけである。国連は数多ある多国間フォーラムの一つに過ぎない。むしろ、G7（先進7か国）のような自由民主主義国中心の組織にできるだけ外交活動の比重を移していくべきだろう。G7では中露は拒否権どころか、参加すら許されていない。

「安保理常任理事国入り」を、いまだに掲げ続ける外務省関係者も多い。国際ロビー活動と称して、相当な税金を費消してもきた。しかし、常識的に見て実現可能性はない。常任理事国は、具体的に5か国の国名が国連憲章に列挙されており、日本が新たに加わる場合、憲章の改正が必要になる。

改正は、「総会の構成国の3分の2の多数で採択」された後、「安保理のすべての常任理事国を含む加盟国の3分の2によって批准」されねばならない（第108条）。仮に「総会の3分の2」という第一関門を突破しても、中露両国が国内で批准手続きを完了しない限り、日本は永遠に常任理事国となれない。腹黒い勢力代表の両国が素直に批准するはずもない。

中露の様々な要求を受け入れる土下座外交を展開すれば（それ自体論外だが）、逆にアメリカの批准を得るのが難しくなろう。先に触れたとおり米国は、上院の3分の2の賛成が必要、と批准のハードルが高い。どう転んでも泥沼にはまる構図である。

2022年5月、来日したバイデン米大統領が、改めて岸田首相に対し「日本の常任理事国入り支持」を表明したが、リップサービス以上のものではない。

国連事務総長が行ってきたこと

2017年2月1日、国連のグテレス事務総長がトランプ政権を批判する声明を出した。紛れ込んだテロリストを識別できないとの理由でアメリカがシリア難民受け入れを停止したのはおかしいというのである。

しかし、その後フランスなどで実際、難民を装ったテロリストによる大量殺人事件が起きている。難民への対応は、現地周辺に必要物資や治安維持要員を送るのを基本にすべき

国連のグテレス事務総長　(Getty Images)

というトランプ政権の立場は必ずしも不合理ではなかった。

グテレスは、国連事務総長に選出される以前、国連難民高等弁務官を10年間務めている。外面的にはこの分野の権威ということになるが、果たして彼が矛先を向けるべきは、トランプであり、アメリカだったのか。国連自身は果たすべき役割を果たしてきたのか。

次の中国新華社の報道が興味深い（同年2月3日付）。

グテレス事務総長は「多くの場合、難民を新たな場所に避難させることが難民保護の唯一の効果的な手段である」と示した上で、「アメリカが、もともと行っていた難民保護措置に再び取り組むよう強く望んでいる。シリアの難民がこのプロセスにおいて排除されないよう希望する」と語りました。

では中国は人道的に対応してきたのか。国連難民条約は、難民を、本国に送り帰されると「迫害を受けるおそれがあるという十分に理由のある恐怖を有する」者と定義している。中共が強制送還してきた北朝鮮難民は、この定義に最もよく当てはまる。
国連の「北朝鮮人権調査委員会」報告書は、次のように記している（２０１４年２月７日）。

> 中国から強制送還された女性に対する強制堕胎や幼児殺害といった犯罪行為は、どんな手段を用いても朝鮮人の純血種を存続させよと強調する北朝鮮政府のイデオロギーが加害者を駆り立てていると思われる。北朝鮮の尋問拘禁施設では、強制送還された女性に対する性的侮辱が計画的戦略として用いられている。

中共は、こうした状況を知悉(ちしつ)しながら、脱北者の強制送還を続けてきた。国連人権高等弁務官事務所による、個々の意思確認のための事情聴取も拒んできた。明らかな難民条約違反である。

中国が、脱北者の強制送還をやめ、韓国行きを認めれば、金正恩体制は遠からず「出血多量」で倒れるだろう。

アメリカの「北朝鮮人権法」（２００４年成立）は、国連の無為に関してこう述べている。


中国政府が、国連難民高等弁務官事務所（ＵＮＨＣＲ）と脱北者の接触を拒み続けるなら、ＵＮＨＣＲは、中国との協定に基づき、仲裁手続きを開始しなければならない。現状においてなお仲裁要求権を行使しないとなれば、ＵＮＨＣＲは、その中核的な責務を重大な形で放棄したことになろう。


この「中核的な責務を重大な形で放棄」してきた一人が、長年ＵＮＨＣＲの責任者だったグテレスである。

実際、「国連弁務官・中国政府間の条約」（１９９５年）第16条は、「いずれかの当事者（国連か中共）の要求」で仲裁手続きに入りうると規定し、具体的プロセスをこう定めている。

双方が1人ずつの調停官を指名し、その2人が第三の調停官を任命して議長とする。仮に15日以内に第三の調停官が決まらない場合、いずれの当事者も、国際司法裁判所の長官に対して、調停官の任命を求めることができる。調停官たちの決定は、すべて2人の賛成によって下される。

UNHCRが中国政府の意向に配慮して、仲裁手続きに入ろうとしないのは、明らかな職務怠慢である。UNHCR北京事務所の職員らが、「ただ給料をもらうためだけにいる」と民間人権活動家らから揶揄（やゆ）されるのも当然だろう。

もちろんUNHCRに難民認定手続きに当たらせよという仲裁結果が出ても、中共がそれを無視する可能性は高い。しかし国際世論を喚起する効果はあり、UNHCRが無為を決め込むのは許されない。

2016年11月26日、グテレスの後を継いだグランディ国連難民高等弁務官が来日し、広島の平和記念資料館で講演を行ったが、難民発生地域として約20の国名を挙げながら、北朝鮮には一言も触れなかった。

「国連には、快適なオフィスに座り、事務作業や文書について話し合う官僚たちの組織というイメージが付きまとっている」。しかしそれは違う、とグランディは講演で強調したが、虚しく響いたという他ない。

日本を含む自由主義陣営は、UNHCRが中共を相手取って、ただちに上記の調停手続きに入るよう、拠出金停止などの制裁カードも用いて、圧力を掛けるべきだろう。

2010年、ノーベル平和賞委員会が、「中国は自ら署名した国際協定や政治的自由を定めた国内法の規定に違反して」抑圧政策を採っていると批判した上で、獄中の民主活動家、劉暁波への授賞を発表した。

この時、当時の潘基文（パンギムン）国連事務総長（韓国出身）は、「近年、中国は政治参加の枠を拡げ、一般的な人権擁護の仕組みや慣行を遵守することで、着実に国際社会の主流に加わってきた」と逆に中国当局を称賛するコメントを出している。自身の事務総長再選に向け、拒否権を持つ中共に媚びたわけである。国連幹部の体質を象徴するエピソードと言えよう。

独裁者たちが憩うクラブハウスと化す

国連の不正・欺瞞の追及で知られるアメリカのジャーナリスト、クローディア・ロゼットは、習近平、プーチンが参加した２０１５年秋の国連総会を次のように描写した。

世界平和と自由の促進を掲げて創設された国連が、その70周年総会の初日を、中国、ロシア、イラン、キューバといったとりわけ悪名高い専制国家首脳のオンパレードで飾った。民主と独裁を区別しない道徳的盲目によって、国連はますます、独裁者たちが憩うクラブハウスと化しつつある。

10年ぶりに国連総会の場に姿を見せたロシアのプーチン大統領は、内戦状態が続いて多くの難民が流出するシリアについて、独裁者アサドこそが安定勢力だと強調した。当時ロシアは、反政府勢力の拠点に爆撃を加えるなど、アサド側に立って軍事介入していた。アサドは見返りに、地中海に面する海空軍基地をロシアに貸与していた。

プーチンはアメリカを笑い物にすることを楽しんでいる。鼻面を引き回すだけでは飽きたらず、目に指を突っ込んできているが、それでもオバマは動かない。

米ＦＯＸニュースのキャスター、ショーン・ハニティが当時発した言葉だが、確かにオバマ、バイデンと民主党の政権はプーチンに主導権を奪われ、引き回される傾向が強い。同じ70周年記念国連総会では、習近平も演説を行っている。

女性の権利を尊重する党指導部のもと、中国ではすべての女性が自己実現の機会を与えられていると空疎な言葉を並べた上、自らの主催で「女性の権利のための会合」まで開いた。しかし、これはさすがにやり過ぎだったようだ。

当時米民主党の最有力大統領候補で、国連本部のあるニューヨークを本拠とするヒラリー・クリントン元国務長官が、「習が、フェミニストを弾圧しつつ国連で女性の権利会合を主催？　恥知らず（shameless）」とツイートし、大いに話題を集めた。

もっとも、習近平が「恥知らず」なのは言を俟たないとしても、ヒラリーにその言葉を発する資格があるのかというのが米保守派一般の反応だった。

共和党主流派に近いウォールストリート・ジャーナルの「クリントンの中国ポーズ――ツイッターでは人権にタフ、国務長官としては違った」と題する社説がその辺りをうまくまとめている（２０１５年９月29日）。

獄中の民主活動家でノーベル平和賞受賞者の劉暁波と結婚していたという罪によって、妻の劉霞(りゅうか)が中国当局に軟禁状態に置かれている。この件について、ヒラリーは国務長官在任中、沈黙を保っていた。

同社説は続けて言う。

強制堕胎への抗議など、女性を守る活動に従事したかどで拷問を受け、投獄されたのち、在北京米国大使館に保護を求めた盲目の人権弁護士陳光誠(ちんこうせい)を全力で支援したとヒラリーは主張する。しかし実際は、陳自身が民間人権活動家の助けを借りて米議会公聴会に国際電話で参加し、議会と世論を動かしたことで、初めて中国脱出の道が開けた。

国務長官ヒラリーは、人権弁護士解放に何ら主導的役割を果たさなかったというのである。この点、ヒラリーは回顧録で次のように弁明している。

陳光誠は当初、国外に亡命すると安穏が得られる半面、影響力を失ってしまう、だから中国に留まって大学で法律を学びつつ改革を唱えたいと希望した。その線で中国側と話を付けたところ、陳が突如態度を変え、米国行きを求めるという「政治的な火に油を注ぐ行為に出た」ため問題がこじれた。「陳は予測不能でドン・キホーテ的。中国指導部と同じぐらい手ごわい交渉者だった」(Hillary Clinton, *Hard Choices*, 2014)。

これに対して陳光誠は、自身の回顧録で、「習近平の娘はハーバード大学にいる。なぜ自分には同じ権利が認められないのか」とオバマ政権のカート・キャンベル国務次官補に繰り返し訴えたが、冷たい反応しか得られなかったと述べている。キャンベルはこう説得に掛かったという。

中国内での平穏な勉学を中国当局が保証した。米政府も約束の履行を見守り続ける。中国当局の解決策は合理的であり、これを拒否すれば反逆者の烙印(らくいん)を押され米大使館から出られなくなる。外にいる家族とも会えなくなる。クリントン国務長官の訪中が迫っていて時間がない。メディアとは接触するな——。

陳は、キャンベルの言葉は「まるで中国当局と組んだかのごとき」強圧的なもので、「ヤクザ的な政府との交渉となると、民主と自由、普遍的人権を最も一貫して唱えてきた国がかくも簡単に屈服するのか」と「強い心の痛みを覚えた」と述懐している（Chen

Guancheng, *The Barefoot Lawyer*, 2015)。

そのキャンベルは、バイデン政権で、新設のインド太平洋調整官に任命され、政府に復帰した。2023年5月、私は訪米時に面談の機会を得たが、「北朝鮮に影響力を持つ唯一の国は中国。拉致問題解決のためには、日本も中国に働き掛けるべき」といった大いに疑問符が付く親中的「アドバイス」が目立った。

前後して会ったダニエル・クリテンブリンク国務次官補は「中国は北に影響力を持つが、それを役に立つ形で使ったのを見たことがない。中国とロシアは北の現体制を支えると決めており、今後も役に立つことはないだろう」と語ったが、こちらの方が国際常識に沿った見方だろう。

左翼の迂回ルート

アメリカは国連において、拒否権という特権を持つ側だが、米保守派はそれでもなお、国連の存在意義に強く疑問を呈する。

一方、左派は、国連を自らの政策実現上、有益な道具と認識し、活発なロビー活動を展開してきた。国連機関で「協議資格」を認められたＮＧＯのほとんどが左派系である。日米ともに事情は変わらない。

保守派の公法学者ロバート・ボークは、その間のメカニズムを次のように解説する（Robert Bork, *Coercing Virtue*, 2002）。なおボークは、レーガン大統領に最高裁判事に指名されながら、バイデン委員長が仕切る上院司法委員会で徹底的に「保守反動」と叩かれ、結局就任できなかった人である。

アメリカの左派インテリ層は、その進歩的政策を国内のプロセスに拠っては、すなわち議会での多数派形成や裁判所での違憲訴訟などに拠っては、完全に実現できずにきた。それゆえ、進歩的内容の国際条約をまず国外で作らせ、それをアメリカに押しつけることで、議会や裁判所を迂回する形での政策実現を図ってきた。

アメリカの主流派憲法解釈では、条約は憲法より下位にあるが、一般の制定法とは同格とされている。すなわち、ある条約が批准されると、その瞬間に、「後法は前法を廃する」の原則に従い、相容れない内容の国内法は全て無効となる。

条約の批准には上院の出席議員の3分の2以上の賛成が必要で、ハードルは高いが、うまく気付かれずに越えられれば、通常の国内プロセスでは通せなかった法案を、国連という迂回路を用いて通せる。いまだ国連幻想が根強い日本では、アメリカ以上に警戒せねばならない裏ルートだろう。

「怯える金持ちはカモになる」

1984年、米レーガン政権は、「反米勢力による政治利用と目に余る放漫財政」を理由にユネスコ（国連教育科学文化機関）から脱退した。イギリスとシンガポールも後に続いた。

ところが、それから約20年を経た2003年に至って、同じ共和党のブッシュ（ジュニア）政権がユネスコ復帰を表明した。ブッシュの下で、国務次官や国連大使を歴任したジョン・ボルトンは後年、この決定を次のように批判している（*Weekly Standard*, Nov. 14, 2011）。

ジョージ・Ｗ・ブッシュは状況を見誤り、この措置によってアメリカ単独主義批判を和らげられると考えた。予想通り、「国際社会」はアメリカの拠出金をポケットに収めた上で、ブッシュ政権への仮借なき批判を続けた。

しかし２０１１年10月、ユネスコが「パレスチナ」を正式メンバーとして受け入れたことで、「イスラエルと講和を結ぶ約束を果たす前に、パレスチナに対して国家資格を認めたいかなる国連組織にも、米政府は資金を拠出してはならない」という国内法の規定に従い、当時のオバマ政権がユネスコへの分担金支払いを停止した。民主党政権でもこの対応があったことを銘記したい。

前出のジャーナリスト、ロゼットは、この間、ユネスコのイリナ・ボコバ事務局長（当時）が数次にわたり側近を引き連れて訪米、各所で資金提供継続を訴えると共に、公費でワシントンに連絡事務所まで設けたと批判している。国連機関の体質がよく表れた例なので、簡単に振り返っておこう。まずボコバ個人に関してである（*Weekly Standard*, April 9, 2012）。

モスクワで教育を受けた59歳のボコバは、冷戦期、ブルガリア国連代表部の館員として国連でのキャリアをスタートさせた。米政府は２００９年、彼女の（ユネスコ）事務局長当選を歓迎したが、それは主に、対立候補のエジプト文化大臣がイスラエル書籍の焚書で知られる反ユダヤ主義者だったためだ。

次いでユネスコの運営実態を批判する。

ユネスコが最も優先するのは、世界の貧者への支援ではなく、自らへの支援だ。作年度のユネスコ予算の87％はスタッフの人件費、旅費、運営費に消えている。ユネスコのスタッフは半数以上がパリに居を構え、高給と贅沢な諸手当、年間30日の休暇を保証されている。アメリカの拠出金がないとホロコースト教育プログラムが中止に追い込まれると彼女は強調するが、このプログラムの唯一の常勤スタッフの給与および運営費は大部分、イスラエルの拠出で賄われている。ユネスコ本部の負担はわずかで、ボコバがワシントン事務所を畳むだけで簡単に捻出できる。

米保守系シンクタンク、ヘリテージ財団で国連問題を扱うブレット・シェーファーは、ユネスコは文盲の解消などを中心事業とした当初こそ意義を有したものの、１９５０年代後半にソ連圏や第三世界の諸国が大量に加盟し、左翼・反米・反イスラエル傾向を強めて以来、マイナス要素の方が多くなったと総括する。

また、「平和の推進に向けた情報拡散」プロジェクトなど、インターネット時代に国連が巨費を用いる必要のない無駄な事業も多い。中国やロシアが絡む以上、内容的にも意味のあるものにはなり得ない。

たまたま意義あるプロジェクトと言えるものも、すべて個別参加が可能であり、ユネスコ本体に加盟して毎年拠出金を払うメリットは皆無だとシェーファーは結論づけている。

実際アメリカは、レーガン時代にユネスコから脱退して以降も、海洋学委員会など意味ありと判断した分科会には選別的に資金を出し、議論に参加していた。日本では、国連機関からの脱退というと、重大犯罪であるかの如く瞬時に身を固くする向きが多いが、そうした心理からは一日も早く脱却せねばならない。

なおレーガン政権は、ユネスコ脱退後も、国益上必要と考えれば理事会にオブザーバー出席し、あろうことか投票まで行っている。「えっ！　オブザーバーは投票できないのでは」はナイーブな日本的発想で、資金力ナンバーワンのアメリカに復帰してほしいユネスコ当局は、誰一人異議を唱えなかった。アメリカの機嫌を損ねて何も得はないからである。日本も資金力をカードとして持ちながら、反日的動きを牽制するため有効に使うといった発想に全く至らない。「それでは影響力を失う」という声が即座に上がり、思考停止に陥る。

レーガン流のしたたかさがなければ、腹黒い世界では生きていけない。怯(おび)える金持ちはカモになる、が国際社会の常識である。

第5章

朝鮮半島

1. 北朝鮮問題

アメリカ主流派外交エリートの危うい感覚

2023年5月、コロナ禍が一段落した中、拉致問題訪米団の一員としてワシントンを訪れ、米政府高官や議員、民間有識者と様々に意見交換した。

北朝鮮問題の優先順位が下がっていると見えるがなぜかと聞いたところ、ある専門家から、「北に関するニュースは『またミサイルを撃った』ばかりで多彩さに欠ける。勢い、慣れや飽きが生じ、関心が薄れる」との答えが返ってきた。

北の核ミサイル技術が着実に進展する中、そうであってはならないのだが、ファクトの指摘としては、なるほどと思わせた。

一方バイデン政権は、「人道支援」を梃子（てこ）にあらゆるルートで北に対話を呼び掛けてきた。北が一切応じないため、具体的動きはなかったが、逆に北が応じてくれば、一気に米朝協議が進む可能性がある。だが、それがよい方向に向かう保証はない。

日本としては、最悪の展開も念頭に、早め早めに米側に釘を刺しておく必要がある。以下、有力筋が唱える「最悪の妥協」シナリオを見ておこう。

レーガン以来の共和党政権でＣＩＡ長官や国防長官を歴任し、さらには民主党オバマ政権でも国防長官を務めた（その間、副大統領のバイデンと同僚の関係にあった）ロバート・ゲイツの主張である。

ゲイツが回顧録に記した「ジョー（バイデン）は過去40年間、ほとんどあらゆる主要な外交安保政策について判断を誤ってきた」という言葉はよく知られている。しかしゲイツ自身の判断力も、実はあまり当てにならない。

ウォールストリート・ジャーナルに載ったゲイツの対北朝鮮「新たなアプローチ」を見てみよう（２０１７年7月10日）。

インタビューに当たったジェラルド・シーブ同紙ワシントン支局長は、冒頭、「いずれも不完全な対北オプションの中で、最も希望を持てるものは何か。この問いに答える人物として、過去半世紀を通じて最も安全保障分野での要職経験が豊かなゲイツ氏以上の適任者はまず見当たらない」と持ち上げている。

ゲイツ（１９４３年生）は、ＣＩＡの分析部門で約26年を過ごし、副長官まで内部昇進した上で、ブッシュ（父）政権時にＣＩＡ長官に就任した。良くも悪くも米情報機関の主流派エリートを代表する人物である。

その後、ブッシュ（ジュニア）政権の後半からオバマ政権の前半にかけて国防長官を務めた。すなわち党派を超えて、穏健派一般から安保通との評価を得てきたと言える。

さて、ゲイツはまず、朝鮮半島における全面戦争の危険と破壊の大きさを考えれば、軍事力行使は選択肢にならないと強調する。そして「新たなアプローチ」として、中国に次の提案を行うべきだと言う。

アメリカは北朝鮮が「10数発から20数発まで（no more than a dozen or two dozen）」の核兵器を保有することを認める。さらに北を国家として承認し、平和条約締結の準備に入る。在韓米軍のスリム化も行う。

その見返りに北朝鮮側は、核兵器運搬システム（ミサイル）を「非常に短い射程」のものに留めると約束する。そして北が合意事項を守っているか、中国が責任を持って査察を行う。

「非常に短い射程」のミサイルといえば、半島内で使う戦術核のみとも聞こえるが、ゲイツは同時に「現状の凍結」も主張している。

北が、ノドンなど実戦配備済みの中距離ミサイルを進んで廃棄するはずがない。結局、アメリカ本土やハワイ、グアムに届く長距離核ミサイルは認めないが、日本や韓国に届く核ミサイルは20発程度まで認めるという露骨に宥和的かつ最も悪い意味で「アメリカ第一主義」的な取引案だと言える。20発の核ミサイルといえば、日本と韓国の相当部分を廃墟とするに十分な量である。

ゲイツは、中国がこの提案を受け入れない場合、アメリカは厳しい対中措置に出る姿勢を明確にせねばならないと言う。「措置」の中身は、アジアにミサイル防衛網を敷き、太平洋艦隊を増強し、北が大陸間弾道弾とおぼしきものを発射した場合、すべて撃墜する、というものである。

中国は、これらすべての措置が自らに敵対的であると理解するだろう。対抗するには、何十億ドルという軍事コストが掛かる。

ゲイツはこう胸を張るが、中国にとって特にショッキングなシナリオではないだろう。しかも真に重大なのは、中朝がゲイツ案を受け入れなかった場合ではなく、受け入れた場合である。

言うまでもなく、日本にとって、ゲイツ案は論外以外の何ものでもない。ところが、記事をまとめたワシントンの有力記者は、ゲイツの論は外交アプローチとして比較的「賢明」だと評価している。

このインタビューは、北朝鮮で拘束され、意識不明の状態でアメリカに送り返されたオットー・ウォームビア青年の死（6月19日）から間もない時期に行われた。にも拘わらず、この凄まじい国家犯罪に何の言及もない。それもまた、アメリカの主流派外交エリートの危うい感覚を示すものと言えよう。

ちなみにゲイツは、先に触れたとおり、ブッシュ（ジュニア）政権の末期に国防長官に起用されたが、これは悪いタイミングだった。

2006年11月の中間選挙で与党共和党が上下両院で少数派に転落し、直後に、イラク戦争長期化の責任を問われる形で、ラムズフェルド国防長官が解任された。ラムズフェルドは、長年の盟友であるチェイニー副大統領と共に、政権内対北強硬派の中核をなしていた。

以後、ブッシュ政権終焉までの2年間、チェイニーは「孤高のハードライナー」として苦しい戦いを強いられる。

同年10月には、北朝鮮が最初の核実験を敢行していた。動揺したコンドリーザ・ライス国務長官は、クリストファー・ヒル国務次官補と組み、対北金融制裁解除をはじめとする宥和政策の急坂を転げ落ちていく。ブッシュ大統領はこの２人と心中する格好になった。

ゲイツがラムズフェルドの後任国防長官となったことに関し、事情に通じたジャーナリスト、ジム・マンは次のように書いている（Jim Mann, *The Great Rift*, 2020）。

> ゲイツはライスの親友だった。ブッシュ父政権時、大統領安保副補佐官を務めたゲイツの下でライスは中心的なソ連専門官として働いていた。ブッシュがゲイツを（国防長官に）指名するつもりだと知らせたとき、ライスは興奮し「喜びを抑えきれなかった」と述べている。チェイニーはもちろんさほど喜ばなかった。

ゲイツが、国防を担う立場からライス・ヒル・コンビの対北宥和政策に待ったを掛けたという記録はない。ラムズフェルドなら、チェイニーと組んで、相当強力に異議を唱え続けたはずである。

「ハニートラップ」としての北朝鮮

北朝鮮の現体制が崩壊し、混乱状態に陥った場合、いかにして日本人拉致被害者を救出し、日本に帰還させるか。

第1章で触れたとおり、米軍主導の「暫定統治機構」設置に期待し、その許可を得る形で自衛隊が現地入りするというのが日本政府のシナリオであった。

しかし、アメリカが地上軍投入を控え、中国軍が北朝鮮を占領し傀儡政権を樹(た)てるのを黙認する可能性もある。

これは米側から見て、一種の「ハニートラップ」でもある。中国が、かつてのアフガニスタンにおけるソ連、イラクにおけるアメリカのように、朝鮮半島で治安維持に苦労し、インフラ整備に巨費を投じる状況となれば、その分、他の方面、特に台湾に振り向ける力が削がれる。

海洋国家アメリカにとっては、日本海の奥にある朝鮮半島北半部より、太平洋と南シナ海の結節点に位置する台湾の方が、戦略的にはるかに重要である。中共による台湾併合は、単にファシズムによる自由の蹂躙（じゅうりん）ということに留まらず、中国海軍が台湾を拠点にアメリカのインド太平洋支配を脅かすことをも意味する。

ここで思い出すのは、1931年の満州事変の直後、当時のフーバー米大統領（共和党）が側近に語った言葉である。フーバーは、満州をめぐって日本と争うのは「愚かなこと」（folly）と言い、スティムソン国務長官らの対日制裁論を斥（しりぞ）けた。

その上で、「日本が満州に入っていくのは悪いことではない。中国とボリシェビキという2つのトゲに挟まれて忙しくなり、しばらく他に手が回らなくなるだろうからだ」と述べている。

これも一種の腹黒い発想だが、続くルーズベルト政権のような反日・容共的要素はない。いま北朝鮮地域の支配をめぐって中国と争うのは、軍事戦略的には、アメリカにとって「愚かなこと」だろう。だが、この地の統治に中国が精力を奪われるならば、決して「悪いことではない」はずだ。

もちろん北朝鮮住民の幸福を考えれば、中国ではなく自由主義圏に組み込まれるのが望ましいのは言うまでもない。中共の傀儡政権が、拉致被害者を速やかに解放するという保証もない。

やはり、北朝鮮の地に、米韓両軍中心の暫定統治機構が設置されるよう、日本も最大限の人的貢献を打ち出す形で具体的提案をしていかねばならないだろう。自衛隊は憲法違反なので行けない、では話にならない。

Ｇ７にアジアから唯一入っている日本が、裏庭たる東アジアの動乱に何の主体的役割も果たさないでは、国際常識ゼロの烙印を押されても仕方ないだろう。

2. 韓国問題

安倍政権下でも危うい動き

安倍首相の側近には、外務省、経産省からの出向組が多かった。彼らの多くは、安保・経済分野の調整作業では優秀だったとしても、歴史戦については大いに心許なかった。「韓国がゴールポストを動かす」という言い方を外務省関係者は好むが、同省主導の謝罪外交でオウンゴールを重ねてきた歴史も直視せねばならない。

安倍政権下でも危うい動きがあった。一例を挙げておこう。

２０１５年3月26日、米紙ワシントン・ポストに安倍首相のインタビュー記事が載った。その中で、慰安婦について、「人身売買の犠牲となって筆舌に尽くしがたい思いをした方々のことを思うと、今も胸が痛む」との発言が引かれている。すなわち安倍首相が、慰安婦は「人身売買の犠牲者」であると認めたことになる。「人身売買」は human trafficking と英訳されている。

この種の英文記事は、掲載前に、官邸と外務省の担当者が念入りにチェックする。この場合も例外ではないだろう。「強制連行」「性奴隷」に当たる言葉が排されたのは良いとして、用語の選択になお重大な疑問が残る。

human trafficking（人身売買ないし人身取引）には国連による定義がある。

2000年11月15日、国連総会で採択された「国際組織犯罪防止条約を補足する議定書」は、組織犯罪たる「人身取引」を「搾取（さくしゅ）の目的で、暴力その他の形態の強制力による脅迫もしくはその行使、誘拐、詐欺、（中略）の手段を用いて人を獲得し、輸送し、引き渡し、蔵匿（ぞうとく）し、または収受することをいう」と定義している。

さらに、対象が「児童」（18歳未満）の場合には、「ここに規定するいずれの手段が用いられない場合であっても、人身取引とみなされる」とある。

逆に言えば、強制や誘拐、詐欺などを伴わない、18歳以上の婦女子による売春は、国連の定義でいう「人身取引」には当たらないわけである（特に欧州には売春を合法化している国があり、またフェミニストの中にも売春を正当な業務と主張する勢力があるため、売春自体を「人身取引」とする定義は国連において採用し得ない）。

すなわち、旧日本軍の慰安所は、当時はもとより現在の国際基準に照らしても国際組織犯罪たる human trafficking には当たらない。

もちろん慰安婦の中に、犯罪的な人身売買の犠牲者も含まれていただろう。悪徳業者の排除を日本軍が指示していることからも、それは窺える。しかし、慰安婦全体を人身売買の犠牲者と規定するなら、日本軍が組織犯罪の加担者であったとの印象を与えかねない。人身売買（ないし取引）という言葉を官邸官僚や外務省が安倍首相に使わせたのは誤りである。

さらに明確なオウンゴールを外務省は犯している。2015年に「明治産業革命遺産」がユネスコの世界遺産に登録された際、韓国の横槍に動揺した外務省は、軍艦島（長崎県端島）などで朝鮮人が「労働を強制された（forced to work）」という事実に反する記述を書き加えた。

この件で調整役を果たした加藤康子内閣官房参与（当時）は、韓国の反対があっても票は足りる、遺産の名誉を傷つける妥協はすべきでないと内部で力説したが、外務省に押し切られたと証言している。

「労働を強制された」と「強制労働（forced labor）」は違う、後者（国連の定義で「人道への罪」に当たる）は認めていないというのが外務省の言い分だが、両者を厳密に区別する発想は、国際社会一般にもジャーナリズムの世界にもない。

現に慰安婦問題を伝える世界各国のメディアを見ても、慰安婦の説明として「性的サービスを強制された（forced to）」と「性奴隷（sex slave）」を同趣旨の言葉として併用している。官僚的な言語操作は国際社会で通用しない。forced to を認めた時点で負けなのである。

警戒すべき中国人慰安婦問題

韓国では、慰安婦や戦時朝鮮人労働者に関する虚偽の反日主張を否定するところまでは踏み込めないものの、当面の妥協的処理を図る尹錫悦政権が誕生して以来、日韓歴史戦はひとまず休戦状態となった。

そうした中、2023年5月、G7広島サミットを前に訪韓した岸田首相は、朝鮮人労働者問題に触れ、「当時の厳しい環境の下で多数の方々が大変苦しい、悲しい思いをされたことに心が痛む思いだ」と発言した。

しかし労働者の多くは自発的に日本に渡り、待遇面で日本人との差別もなかった。私も役員を務める歴史認識問題研究会のホームページに各種資料を掲げてあるので参照頂きたい。

韓国でも近年、近代経済史の第一人者、李栄薫(イヨンフン)ソウル大学名誉教授を中心とするグループが、丹念かつ総合的な調査分析をもとに、欺瞞的「定説」に正面から挑戦している。グループの外郭団体と言うべき「慰安婦詐欺清算連帯」もソウル中心部での連続集会などを通じて一般の支持を広げつつある。岸田の発言は、彼ら勇気ある韓国人たちの足を引っ張りかねないものだった。

韓国研究者の荒木信子によれば、終戦直後の昭和20年秋、半島に帰還する労働者を見送るに当たって、当時の厚生大臣は、「見知らぬ土地に来て、懸命に働いてくれたことに感謝する」旨を語ったという。

首相が歴史を振り返るとすれば、発すべきはこの種の「謝辞」であって、反日史観に迎合した「懺悔の弁」ではない。

かつて第一次安倍政権時、李栄薫教授の師に当たる安秉直(アンビョンジク)ソウル大学名誉教授(一時、福井県立大学で私の同僚だった)から、「慰安婦に関し決して安易な謝罪をしないよう安倍首相に伝えて欲しい。それは、韓国で戦っている我々の立場を難しくする」と念を押されたことがある。

日本の政治家がなすべきは、虚偽を発信している側への迎合や慰撫ではなく、虚偽と闘っている側の声に真摯に耳を傾けることだろう。

ここで注意すべきは、韓国の反日左翼の背後に中共がいる事実である。今や反日歴史戦の中心的担い手は、韓国以上に中国である。

中国政府が展開する反日歴史戦は、韓国より一層戦略性を持っている。その狙いは大きく4つに整理できよう。

①日本の精神的武装解除。すなわち中共の覇権確立に障害となる地域大国日本に贖罪史観を浸透させ、抵抗意思を萎(な)えさせる。

②「反省しない日本」への敵愾心(てきがいしん)を掻き立て、「団結」を崩してはならないと共産党一党独裁体制を正当化する。

③自由、民主、法の支配、人権などが欠如した中国の「現在」に焦点が当たらぬよう、「過去」に注意を逸らす。

④太平洋戦争期の記憶を喚起することで日米分断を図る。

こうした戦略の下、慰安婦問題の「研究」と対外発信の中心となってきたのが上海師範大学教授の蘇智良(そちりよう)である。蘇らが英語でまとめた『中国人慰安婦』は学術的な権威をまとったオックスフォード出版会から出されたこともあり、無視できない影響力を持つ（Peipei Qiu, Su Zhiliang, Chen Lifei, *Chinese Comfort Women*, 2014）。

多くの中国人女性が日本軍に拉致され、集団レイプされ、あげくに大部分が殺害されたと主張する同書は、しかし、無理な辻褄合わせをした結果、中共にとっての巨大ブーメランともなっている。

中国でも韓国同様、日本軍慰安婦は戦後長らく社会的関心の外にあった。その忘れられた、あるいは忘れたい存在が突如「歴史的問題」としてクローズアップされたのは、朝日新聞などが「強制連行」キャンペーンを始めた１９９２年以降である。

従って、それほど深刻かつ大規模な「戦争犯罪」だというなら、なぜ長く問題にされなかったのかを、研究書である以上、合理的に説明せねばならない。『中国人慰安婦』は大要次のように論じる。

家父長イデオロギーが浸透した中国社会では、女性の純潔は生命より重い。生き残った慰安婦は非道徳な上に敵軍に奉仕した裏切り者と見なされた。共産党政権下では「反革命」の烙印も押された。日本兵と「寝た」かどで北方の強制労働に送られるなど、ことさら辱（はずかし）められ迫害された。迫害に耐えかね自殺した者もいる。日本軍の性犯罪で最も多くの犠牲を出した国でありながら、中国で慰安婦の問題化が遅れたのはこうした理由による――。

以上が、中共が誇る「慰安婦研究の第一人者」による説明である。すなわち、日本軍が管理する慰安所では生をつないだ慰安婦たちを、戦後、理不尽にも迫害し、相当数死に追いやったのは、他ならぬ中国共産党だった。

であるなら、慰安婦の不幸に関して、厳しく責任を追及されるべきは日本ではなく中共ということになる。

今後、韓国の背後から中共が大々的に姿を現し、慰安婦反日歴史戦を仕掛けてくるかもしれない。その際に意識しておくべき最重要ポイントが、中共公認「学者」が指摘する上記のファクトである。

３．安倍時代を経た日本の現状

日本の〝内側〟に敵がいる

安倍首相が声を震わせ涙ぐむのを見たことがある。

第一次安倍政権誕生から４日目の２００６年９月29日、首相官邸で、安倍首相以下、政府「拉致問題対策本部」要員と拉致被害者家族会、救う会役員による懇談会が行われた。私も救う会副会長の立場でその場にいた。

出席者が一通り発言し、司会役の中山恭子補佐官（当時）が首相に再度コメントを求めた時だった。

いつも通り話し始めた安倍が、「５人の被害者の方がタラップを降りてきた時の喜びを、他の皆さんにも味わわせねばならない、今は私がその責任をもつ立場にあります」という段になって突然声を詰まらせた。その場にいた全員が、安倍の決意と責任感をこの上なく明確に感じ取ったと思う。

それ以前、やはり拉致問題で自民党本部に安倍幹事長（当時）を訪ねた時、安倍が１人の議員を伴って現れ、「対北制裁などでよく働いてくれている」と我々に紹介した。それが、のちに官房長官として安倍を身近で支えることになる菅義偉だった。菅は、安倍の死を受けて次のように語っている（『週刊新潮』２０２２年8月11・18日号）。

やっぱり一番強く記憶に残っているのは、安倍さんと初めて言葉を交わしたときのことです。忘れもしない２００１年の12月。私が自民党の総務会で、北朝鮮へのコメ支援に反対したときのことでした。安倍さんは翌日の新聞で報じられた私の発言をご覧になり、わざわざ電話をかけてこられた。当時、私はまだ2回生でしたが、そんな議員の発言まで気に留め、「菅さんは正しい」と言って下さったことに、感激したのを覚えています。

安倍が真の「同志」を見分ける基準は、拉致問題への向き合い方だったと言えるだろう。安倍が信頼を寄せ、最側近と言われた萩生田光一もやはり、出会いは「拉致」だったという（以下、『月刊Ｈａｎａｄａ』２０２２年10月号の萩生田インタビューから要約）。

萩生田がまだ八王子市議会議員だった１９９７年、拉致被害者の１人、蓮池薫の母と支援者が訪ねてきた。国が動いてくれない、八王子市議会から意見書を出してくれないかとの陳情だった（蓮池薫は八王子市内に居住する中央大学学生の時に拉致された）。

学園都市を標榜（ひょうぼう）する以上、当然動かねばならないと考えた萩生田は早速意見書を作り、首尾よく可決に持ち込んだ。ところがその直後、朝鮮総連から、どこに証拠があるのかと強く撤回を求められ、萩生田事務所は抗議のＦＡＸで溢（あふ）れた。困惑して自民党本部に連絡したところ、「担当者から折り返し電話させます」と言われ、待っていた。

するとー本の電話がかかってきて、「もしもし自民党の安倍晋三です」――それが安倍さんだったのです。「萩生田さんの言っていることは間違っていませんから、絶対に引いてはダメです。私も全力で応援しますから」

そう励ましてもらい、一度お会いすることになった。それが安倍さんと私の初めての出会いでした。

萩生田は初対面の印象をこう書いている。

物腰は柔らかく応対も丁寧なのですが、明確な国家観と、言葉の端々に大変な決意を感じ、「こんな政治家がいたのか」とまさに〝一目ぼれ〟でした。「北朝鮮に拉致されている日本人が大勢いる。どこかで突破口を開かなければならないから、是非一緒にやってほしい」

菅や萩生田同様、私自身、安倍との出会いは拉致問題を通じてだった。異例の訪朝に踏み切り「突破口」を開いたのは小泉純一郎首相だったが、小泉は拉致を含む北朝鮮問題に深い知見がなく、対北宥和派の田中均外務省アジア大洋州局長の言いなりだった。新聞記者には居丈高な態度を取るが、対外的には全方位土下座外交の福田康夫官房長官も厄介な存在だった。

北の核問題を重視する米ブッシュ政権も、小泉の前のめり姿勢に懸念を募らせ、信頼できるブレーキ役として、安倍官房副長官に注目し始めていた。

そうした中、安倍は、多忙を縫って家族会の集まりに顔を出し、状況説明や意見交換に努めた。まぢかで見る安倍の表情は真摯そのもので、何の外連味もなかった。

しかしいくら「突破口」を開いても、軍事力を含む総合的国力を高めなければ、現実に拉致被害者全員を取り戻すことは出来ない。

平和安全法制はじめ、安倍が首相として取り組んだのは、日本を責任ある大国として自立させる作業だった。歴代アメリカ大統領中、恐らく最も扱いの難しいドナルド・トランプと強い信頼関係を築けたのも、そうした姿勢の賜物だろう。

慰安婦問題に象徴される自虐史観との戦いも、安倍が自らに課したテーマだった。中共や北朝鮮は、歴史戦を通じた日本の精神的武装解除を常に狙っている。しかも「敵」は複合的に立ち現れる。安倍はこう語っている（月刊Ｈａｎａｄａセレクション『ありがとうそしてサヨナラ　安倍晋三元総理』より）。

歴史戦で厄介なのは日本の〝内側〟に敵がいることです。後ろから撃たれる。朝日新聞が典型ですね。

こうはっきり「不都合な真実」を突き付ける安倍が長期政権を築いた。国内の左派が「反安倍錯乱症候群」を呈するほどに憎しみを募らせたのも無理はない。愚かな左翼が、愚かで憎悪に満ちた左翼になった。それが安倍時代を経た日本の現状である。こうしたアベガーの群れを見るたびに、私は「戦士の鼻にたかるハエ」という言葉を思い出す。

闘う政治家

安倍は稀有(けう)なリーダーシップを持つ政治家だったが、民主制下の首相はワンマン社長とは違う。

政治学的には、民主制(democracy)の定義は多数決(majority rule)であり、それ以上でも以下でもない。あくまで手続き概念であって、自由主義のような政体理念とは次元を異にする。

民主制のもとでは多数を形成できなければ、何事も実現できない。安倍もその政治生活を通じて、不本意な妥協を迫られる場面が少なくなかった。

今やアメリカ保守の偶像的存在と言えるロナルド・レーガン大統領も、その現役時代には、純粋保守派から少なからず「背信行為」を咎(とが)められた。

「右手(right hand)の行うことを極右手(ultra-right hand)は理解しない」「国旗を高く掲げて崖から飛び降りろといわんばかりの支持者の声には困る」といった言葉をレーガンは

残している。

もちろん安倍も完璧な政治家ではない。「妥協しすぎた」という声には正しいものもあるだろう。安倍政治の建設的検証は、今後の日本にとって不可欠の作業となる。ただ、そうした作業に当たってても欠かせない存在が、他ならぬ安倍だった。私自身、政策上の疑問を直接安倍にぶつけ、その説明に納得した、少なくとも視野が広がった例がいくつもある。今やそうした機会は永遠に失われた。痛恨の極みという他ない。

自由主義的な保守政治を掲げる自民党だが、安倍や中川昭一のような政治家は多くない。次の言葉は安倍の遺言と言えるだろう（前掲月刊Ｈａｎａｄａセレクションより）。

私は、政治家になって以来、盟友の中川昭一さんらと多くの課題にチャレンジしてきました。すると「あなた方の言っていることは正しい」と言ってくれる人は多いのですが、一緒に声を上げて行動を共にしてくれる人は非常に少なかった。正面に立てば向かい風を受けます。それを厭わずに立ち向かっていって、結果を出していく政治家、闘う政治家が次々生まれてくることを望んでいます。

今後、安倍自身がそうした政治家を育てることはできない。日本の前途は厳しいが、天上の安倍と共に、「闘う政治家が次々生まれてくること」を望まざるを得ない。

第6章

差別とLGBT

「弱者の味方」が何をしているか

助けるべきは暴虐な独裁者か民衆か、と言えば答えは一見明らかなように思える。ところが現実には、「民衆を助ける」はずの行動が、独裁者の思う壺となるケースも多い。まず世界で最も「弱者の味方」イメージを声高に打ち出す存在と言ってもよいアメリカの左翼議員たちに関して悪しき一例を挙げておこう。

南米ベネズエラが内乱に近い様相を呈した2019年のことである。

声高な反米を売り物にした大衆迎合左翼チャベス大統領の病死後、後を襲ったマドゥロ大統領は、経済の混乱が深まる中、野党連合が多数を占める国会の権限を奪う反憲法的措置を次々打ち出していた。

これに対して1月23日、グアイド国会議長が暫定大統領就任を宣言、米国やカナダ、中南米諸国の大半がこれを承認した。一方、マドゥロ支持を打ち出したのが中国、ロシア、キューバ、トルコ等であった。分かりやすい顔ぶれである。

ベネズエラは実は、石油の確認埋蔵量がサウジアラビアより多い大産油国である。そのため、中国、ロシアは石油利権の確保および中南米における反米拠点確保を狙って、マドゥロに寄り添う形の投資拡大、財政支援を進めていた。アメリカ主導の経済制裁を露骨に掘り崩す行為であった。米国における反中、反露世論の高まりには、こうしたベネズエラ・ファクターも無視できない。

当時、米議会における反マドゥロの急先鋒は、反中共の場合と同様、マルコ・ルビオ上院議員（共和党）だった。ルビオはキューバ難民の子弟で、中南米の人権全般に関心が強い。当時のトランプ政権が打ち出した「グアイド承認・支援」方針を強く支持しつつ、中露に関してこう述べている。

中国はマドゥロにつぎ込んだ大金が失われるのを恐れている。ロシアは石油利権に加え、アメリカを脅かす拠点の維持を狙っている。プーチンが内政不干渉を説くのはお笑い草だ。あの男はアメリカの選挙に干渉し、ウクライナに侵攻し、クリミアを取り、シリアに全面干渉している。

注目すべきは、当時の野党民主党の動きである。ディック・ダービン上院議員（上院民主党ナンバー2）、ナンシー・ペロシ下院議長ら議会指導部は、いち早くトランプ政権の方針を支持する立場を鮮明にした。「政争も水際まで」（外交の場に持ち込まない）の模範的実例であった。

ダービンの声明を要約しておこう。

前年ベネズエラを訪れた際、「当時の大統領マドゥロ」に対し、もし「馬鹿げたまでに操作されたニセ選挙を押し進めるなら益々孤立を深めるだろう」と警告したが、無視された。トランプ大統領や各国が「勇敢な愛国者」グアイド国会議長らを「適切に承認した」のは当然だ――。

ダービンはきわめて党派的な人物だが、重要な外交問題で、間髪入れずトランプ支持を打ち出したあたり、日本の野党議員一般ほど愚かではない。

一方、民主党内の若手進歩派グループの対応はどうだったか。極左の若手女性スター、アレクサンドリア・オカシオコルテス下院議員（AOC）やロー・カンナ下院議員（2007年の反日慰安婦決議を推進したマイク・ホンダを予備選で破り、議席を得た）らは、党執行部に反旗を翻し（ひるがえし）、まず制裁解除をと主張した。カンナはツイートでこう述べている。

尊敬するダービン上院議員の言葉だが、アメリカは、ベネズエラ国内が対立状況にある間、野党指導者を承認してはならない。まずハイパーインフレを悪化させている制裁を終わらせるべきだ。

ＡＯＣは早速これをリツイートし、賛同の意を表している。２０１８年の中間選挙で女性イスラム教徒として初めて議席を得たソマリア生まれの極左、イルハン・オマール下院議員も次のように主張し、いつもの如く物議を醸(かも)した。

アメリカに支援されたベネズエラのクーデターは問題の解決にならない。極右野党を据え付けようというトランプの試みは暴力を煽るだけで地域を更に不安定化させる。

民主党指導部との認識の乖離(かいり)は明らかだろう。ＡＯＣら進歩派の若手下院議員の多くは、外交問題に関して、結果的に独裁者に寄り添いがちな宥和的左翼である。北朝鮮情勢が緊迫した際など、「まず制裁解除を」という立場を採る可能性が強い。日本外交にとって要注意と見るゆえんである。

「制裁は民衆を傷つける」は、腹黒い独裁者が民主国家を牽制する定番のカードである。制裁が徹底すれば、民衆の不満は、独裁体制を倒すレベルまで高まる。その意味で、「中途半端な制裁は民衆を傷つける」が正しい表現だろう。

LGBT問題の背後にある政治事情

「差別をなくす」と言えば文明人なら誰でも「もちろん」と頷くだろう。しかしここでも「差別」を限定的に定義しなければ、無限定に逆差別が起こり、自由主義社会は自家中毒によって衰亡しかねない。それは、差別など全く気にしない腹黒いファシズム国家を利することになる。

その好例をLGBT、とりわけトランスジェンダー問題に見ることができる。

この問題についてはアメリカの事例が大いに参考になる。訴訟大国だけに問題が先鋭化しやすく、原告、被告双方の秘術を尽くした弁論記録や判例に事欠かないからである。

まず保守派の基本的立ち位置を、ブラックユーモア・トークで鳴らした草の根保守のレジェンド、故ラッシュ・リンボーの議論に見てみよう。

この問題は政治そのものである。トランスジェンダーは人口の0・2%ほどしかいない。彼らに対する露骨な差別や敵意など存在しない。実際に起こるのは、ある日突然、ある男が「女子トイレを使いたい。実は男ではないので」と言っていると告げられた、ごく普通に生きてきた真面目な事業主が「すぐに対応しろ。差別するな」と責め立てられ、困惑する。そういう話だ。もちろん私は、精神疾患と言えるケースについては満腔の同情を持っている。しかし、それは医者が対処すべき話で、政治問題化すべきではない。

さらにリンボーは、背後の政治事情についても敷衍する。

しかし左翼は、伝統的な通念を攻撃し、アメリカ社会を混乱に陥れる一環としてこれを用いている。民主党は、アメリカは不公正な差別に満ちていると触れ回っている。そしてどんなグループであれ、多数派に差別されているとうまく訴えられれば、メディアがヒーロー扱いしてくれる。悪いのはいつも男中心、白人中心、クリスチャン中心のアメリカ社会だ。トランスジェンダー主義は、実のところ若者の間のはやりのファッションに過ぎない。

民主党および同党支持の主流メディアは、こうした主張を「信じがたい偏見」と非難してきたが、健全な姿勢と捉えるアメリカ人も少なくない。それゆえリンボーのトークラジオは、彼の死の直前まで全米一のリスナー数を誇った（リンボーは肺ガンのため、2021年2月に70歳で死去）。

リンボーが言うとおり、医学的に性同一性障害と確認されたケースについては、適切な医学的・薬学的対応が必要だろう。しかし事の性質上、特に発達途上の児童に関してはきわめて慎重な対応が求められる。性転換手術やホルモン「治療」は、のちに思春期特有の「気の迷い」だったと分かっても、文字通り取り返しがつかないからである。

この点に関しては、米国の女性ジャーナリスト、アビゲイル・シュライアーが主に少女のケースに焦点を当て、当事者や研究者への綿密な取材を基にまとめた『不可逆的なダメージ―ティーンエイジャー少女とトランスジェンダー狂熱―』（Abigail Shrier, *Irreversible Damage: Teenage Girls and the Transgender Craze*, 2020）がリベラル派のテーゼに多くの根本的疑問を提示していて、必読文献となっている。

シュライアーは左翼活動家たちの猛烈な攻撃に晒される一方、民主党が提出した包括的なＬＧＢＴ差別禁止法案（名称は平等法。未成立）の上院審議に当たって共和党が主要公述人として招くなど、政治的文脈でも、トランスジェンダー問題における渦中の人物である。以下、シュライアーの著書を参照しつつ、性自認を巡るアメリカの現在の状況を見ておこう。日本にとっても様々に参考になる。

活動家らの激しい攻撃で解職

この十数年来、性別違和（gender dysphoria）を扱う北米の治療専門家（セラピスト）の世界では「肯定的ケア」（affirmative care）が支配的潮流となっている。

すなわち、性別違和を訴える患者を、精神的苦悩に囚われた女子と見るのではなく、女子の肉体に囚われた男子と見なければならず、自分はトランスジェンダーだという自己診断をそのまま受け入れて、ホルモン治療や性別適合手術に進むのが正しいとする立場である。

この立場からは、性別違和を「一時の気の迷い」と見て、生来の性に適合した精神状態に導こうとする努力は、トランスジェンダーに対する無理解であり、さらには差別とすら見なされる。

もちろん、こうした「肯定的ケア」に批判的な専門家もいる。まず幼少期においては7割近い児童のジェンダー意識が流動的で、性別違和を感じる者も多い。しかし大半は、成長に伴って生来の性に意識を適合させていく。誰が成長を経てもトランスジェンダーであり続けるかを予測するのは不可能に近く、従って、幼少時の性別違和を不可逆的と見なすのは非常に危険である。

性別違和問題の国際的権威で、カナダのトロント精神健康センターの中心的存在だったケネス・ザッカーは、幼児期や思春期の精神不安は、その原因を安易に一つの問題に収斂させてはならず、患者の全体状況を見なければならないとの立場を採る。

それゆえ、治療の専門家であるなら、患者の自己診断をそのまま受け入れてはならない。性別違和を、対処の必要な精神不調ではなく、祝福されるべきアイデンティティ発見と見なして無条件に寄り添う「肯定的ケア」はそもそもケアとは言えないというのがザッカーの立場である。

同じ立場を取る別の専門家はこれを、「医師は商人とは違う。商人にとっては『お客様は神様』だが、医師は独自の専門的判断に基づき、患者の自己認識や願いを時に斥けねばならない」と表現する。

ザッカーが治療したある少年のケースでは、少女になりたいという本人の願望は、よく調べてみると、肉体的な性別違和によるのではなく、シングルマザーの母親から一度遺棄された経験から、母親とより密接な関係を結べるだろう女の子になって再度の遺棄のリスクから免れたいとの思いに発したものだったという。

従ってこの場合、ザッカーの治療は、捨てられるという少年の強迫観念への対処に力点が置かれた。性別適合治療は行わなかった（性別違和が継続的で、精神不安の主原因と確認されたケースにおいては、ザッカーも性別適合医療を推奨している）。

ところが２０１５年、オンタリオ州（トロントはその州都）は、性別違和に関して「転換セラピー」（生来の性に適合させるのを基本とするザッカー流の治療）を禁じる州法を、リベラル派主導で制定した。その結果、「トランスジェンダー嫌い」を排除せよとするＬＧＢＴ活動家らの激しい攻撃を受けたトロント精神健康センターはザッカーを解職した。

アメリカでも約20のリベラル州が、同様の規制を設けるに至っており、それらの地域のセラピストは、少なくとも表向きには「肯定的ケア」の立場を採らざるを得なくなっている。ポリコレによる科学や専門的知見の抑圧と言う他ないだろう。

性別違和を訴えてアメリカやカナダの医療機関を訪れる人々を年代別に見ると、最大のグループは10代前半の少女だという。これはこの10年ほどの間に急に現れた現象である。大半は、幼少期に何ら目立った性別違和の兆候を見せていない。

背後に、カミングアウトしたトランスジェンダーを半ば英雄扱いし、しばしばインフルエンサーとはやし立てるマスコミや進歩派文化人の存在、ＬＧＢＴイデオロギー教育の影響を見る専門家は多い。

従って、周りの同調プレッシャーに弱く、精神的不調に陥りやすい思春期の少女に安易に性転換ホルモンの摂取や手術を勧めれば、多くの取り返しのつかない被害を生みかねない。

著名な心理学者のリーサ・マーキアーノは、精神的不安定に襲われた児童は、その時代に最も受け入れられやすい理由に原因を求めようとしがちで、それが現代では性別違和になっている可能性が高いという。

その意味でも、活動家のポリコレ圧力で進められる「肯定的ケア」やＬＧＢＴ理解増進教育の流れは大変危うい。

左翼のターゲットになったディズニー

アメリカでは、こうした風潮に反転攻勢を掛ける保守派の動きも加速してきた。その中心人物の１人が、共和党の大統領候補でもあるロン・デサンティス・フロリダ州知事である。以下、デサンティスの近著に即しつつ、要点を押さえていきたい（Ron DeSantis, *The Courage to Be Free: Florida's Blueprint for America's Revival*, 2023）。

２０２２年、デサンティス知事は、自身が主導してフロリダ州議会を通した「教育における親の権利法」に署名し、発効させた。全米の左翼勢力と主流メディアはこの州法を「ゲイと言うな」法と名付けた上で、ＬＧＢＴ差別だと執拗に批判した。

小学3年生までのクラスでジェンダー・イデオロギーを教えることを禁じ、教師や外部講師が違反した場合、親が教育委員会を提訴することを州当局が支援するといった内容の法である。デサンティスはその基本理念を次のように説明する。

ほとんどのフロリダ州民は、学校が読み書き計算を教えることに集中するよう望んでいる。左翼が幼い児童にポリコレ・ジェンダー理論を注入しようとすることに心穏やかではあり得ない。親に知らせず、同意を得ることもなく、生徒の「性転換」に手を付けようとする教師さえいる。

ところがこの州法に対し、州内で広大なリゾート・パークを運営するディズニー社を始めとする相当数の大企業が、左翼世論に同調する形で、ＬＧＢＴ差別であり教育への不当な介入だとする批判的声明を出した。これに対し、デサンティスは次のように反論する。

圧倒的多数の親はこの州法に賛成している。左翼は、トランスジェンダー・イデオロギーを掲げてフロリダで選挙を戦えば間違いなく敗北することを知っている。しかしもし、巨大で力のある企業を動かし、州法反対の立場を採らせることができれば、議会共和党はその圧力に屈するかもしれない。左翼が主要ターゲットに選んだのがディズニーだった。

なぜディズニーなのか。

ディズニーはフロリダで大いなる存在感を持つが、本社は左翼の拠点と言うべきカリフォルニア州バーバンクにある。そこでまず、バーバンクの一群のポリコレ従業員たちが、会社全体としてフロリダ州法に反対せよと叫び始め、社外の活動家や同盟者的メディアが続いて全面支援の声を上げた。

その結果、最初は慎重だったディズニー経営陣も最終的に州法反対の立場に転ずるに至る。左翼各方面からの圧力に屈したわけである。ディズニーの最大顧客たるごく普通の親たちが、大部分、トランスジェンダー・イデオロギーの押しつけに反対である事実に鑑みれば、明らかに企業利益に反する決定だったとデサンティスは言う。

時のディズニーＣＥＯボブ・チャペックはデサンティス知事に対し、州法に反対を唱えざるを得なくなった経緯を述べた上で、「四六時中様々な圧力に晒されるが、今回は違う。これほどの圧力は見たことがない」と理解を求めたという。

しかしデサンティスは、自ら左翼側に立って政争に飛び込み、敵方の走狗（そうく）と化した人間の言い訳など理解はできないと撥ねつけた。

デサンティスの示唆深い言葉

さらに記者会見の場でも、差別や人権侵害を見過ごさないのが自社の企業文化だと綺麗ごとを言いつつ、中国では商売に専念し、人権侵害に何ら声を上げない姿勢は偽善の極致だとデサンティスはディズニーを厳しく非難した。

言葉の応酬だけでなく、フロリダ州が長年ディズニー・リゾートに与えてきた準自治体的特権を剝奪するなどの強硬手段も取っている。

企業社会全体に対して発したデサンティスの次の言葉は示唆深い。

ディズニーに最も強調したのは次の点だ。ポリコレ暴徒に屈すれば、さらなる抗議を招くだけ。プロ左翼は決して満足しない。勝手にしろと開き直るのが正解である。活動家はSNSで不満を鳴らし、批判するメディアも出るだろう。しかしそれも数日間で終わる。活動家らは、この企業は屈服させられないと悟ることになろう。

なお保守の側では逆に、デサンティスが成立させた州法は甘すぎるという声もある。2児の母でもあるニッキー・ヘイリー元国連大使（元サウスカロライナ州知事でもある）がその一例である。

（性自認や性的指向に関する問題は）親と子の間で扱うべき事柄だ。学校が教える必要はない。私が生徒だった頃は、中学1年まで性教育はなかった。しかも、その授業を受けさせるか否かについて、親の同意書が必要だった。ロンは良い知事だと思うが、小学3年生以下では禁止という線は低すぎる。小学校全体についてＬＧＢＴ教育を禁止すべきだし、中学校でも親の許可なしにその種のクラスに参加させてはならない。

デサンティスも、議会を通す必要上、小学校3年生で妥協しただけで、州法成立後、規制を高校まで拡大する方針を打ち出した。

教師が学校を、生徒に左翼イデオロギーを注入する「洗脳場」として使うことをこれ以上許してはならない、というのは米保守勢力における重要テーマである。

以上のような例を見るにつけ、「トランスジェンダー問題は政治そのものだ」というラッシュ・リンボーの言葉は一段の重みをもって迫ってくる。

ちなみにリンボーが亡くなった時、デサンティスは「リンボーは我々の最も偉大な野戦将軍（field general）」だったという追悼の言葉を捧げている。フィールド・ジェネラルには、アメフトのクォーターバックの意味もある。

エマニュエル駐日米国大使の執拗な「内政干渉」

アメリカがこうした状況にある中、日本にLGBT差別禁止法の制定を執拗に促すラーム・エマニュエル駐日米国大使の言動が、「内政干渉」だとして保守派の強い反発を買った。映画のタイトルめくが、「何がエマニュエルをそうさせたのか」を以下に掘り下げたい。

エマニュエルは1959年11月29日、シカゴのユダヤ人家庭に生まれた。一時バレエ・ダンサーを目指したが、政治の世界に転じて以降、民主党の戦闘的活動家としていち早く頭角を現した。

1992年、ビル・クリントン大統領候補陣営の資金担当者として当選に貢献し、翌年の政権発足と同時に、政治戦略担当の大統領補佐官に起用された。33歳の若さだった。その後一時、金融投資の世界に身を投じて財を成している。２００２年の選挙で連邦下院議員に当選、３期務めた。

２００９年１月、民主党オバマ政権の誕生と共に大統領首席補佐官となり、政策、人事全般を取り仕切る。２０１１年、シカゴ市長選に出馬し、知名度と人脈、資金力で他候補を圧倒し、当選した。

４年後に再選を果たしたものの、前後に、特に左派を敵に回すスキャンダルに見舞われ、３期目出馬を断念して２０１９年５月、市長職を去った。

２０２１年８月、バイデン大統領によって駐日大使に指名され、同年12月上院の承認を得た。共和党議員の多くに加え、同志のはずの民主党の左派議員３名が反対票を投じている。

一方エマニュエルを、嫌な相手ではあるが、話が通じる仕事師として一定程度評価する共和党議員もおり、８名が大使就任に賛成している。この辺り、一筋縄ではいかない人物像が浮かび上がる。間違いなく、精力的なやり手ではある。

LGBT特使の訪日

さて日本を舞台としたエマニュエルのLGBTに関する発信は、この問題を外交面で取り仕切る特使を東京に迎えた2023年2月7日からにわかに活発になる。同日、エマニュエルは次のようにツイートしている。

ようこそ、ジェシカ・スターン特使！ 特使は国務省で、LGBTQI＋の人たちの権利擁護を担当しています。この訪日は最高のタイミングです。平等が原則であり、すべての市民が同じ権利を有すると我々は信じています。特使の活動は、より包摂的な社会を構築する日米両国の努力に大きく寄与するものです。

LGBT特使ポストは、バイデン大統領が2021年6月に新設したものである。スターンは、任命されるまでの10年間、ニューヨークに本部を置きLGBT問題で啓発活動を行うNGO、アウトライト・アクション・インターナショナルの事務局長を務めていた。

ここでエマニュエルが「この訪日は最高のタイミング」と述べたのは何を指すか。数日前の2月3日夜、荒井勝喜(まさよし)首相秘書官が、記者団に対し、「(同性愛カップルを)見るのも嫌だ」「同性婚を認めたら国を捨てる人が出てくる」云々の発言をし、翌日、岸田首相によって更迭された。

エマニュエルは、オバマ政権で大統領首席補佐官に任命された直後、経済人との対話フォーラムで、「重大な危機を決して無駄に終わらせてはならない」という有名なセリフを発している。不幸な事態を政治利用するつもりかという批判に対しエマニュエルは、「それまで考えもしなかった、あるいは可能と思えなかった事柄を実行する機会となるなら、よい危機を無駄にしてはならないという意味だった」と弁明している。弁明というより、敷衍と言うべきだろう。

日本の官邸官僚のあからさまな失言は、エマニュエルの政治信条に照らせば、一気に畳みかけて、邪魔者をねじ伏せるべき、決して無駄にしてはならない千載一遇の好機だった。岸田が入れ込むG7広島サミット前というタイミングも利用できる。スターン特使の訪日も、エマニュエルが、急遽アレンジしたものだったろう。

翌8日、スターンはＬＧＢＴ議連の役員らと国会内で意見交換会を持ち、日本側からは議連の中心メンバーである稲田朋美（自民）、西村智奈美（立民）らが参加している。LGBT差別禁止を謳った「超党派合意案」を作成したのは左翼議員中心のこの議連である。

会合後、スターンは「性的少数者の権利の法制化」を急ぐよう議連に強く提言したと語っている。

公明党の山口那津男に発破を掛ける

同日、エマニュエルはスターンと共に、与党首脳の片割れである山口那津男公明党代表とも面談した。同日のエマニュエルのツイートを引いておこう。

全米各地の家の窓には、“Hate Has no Home Here”（憎しみの住む家はここにはない）と書かれたサインが掲げられています。本日、国務省でＬＧＢＴＱＩ＋の人たちの権利擁護を担当するジェシカ・スターン特使と共に、公明党の山口代表とお会いし、米国の多様性、インクルージョン（包容）、反差別への支持を伝えました。

なぜ公明党はこの写真を削除させないのか？　（エマニュエル大使の Twitter より）

要するに、早くＬＧＢＴ法案を通せと山口に発破を掛けたわけである。

このエマニュエルのツイートには、同大使と山口が握手し、横でスターンがほほ笑む写真が貼り付けられている。残念ながら、大使より遥かに腰をかがめ、他では見せたことのない愛想笑いを浮かべる山口の姿勢は卑屈と表現する他ないものである。エマニュエルが植民地総督的意識に襲われたとしても無理はない。

たまたまそう見える瞬間の写真を米大使館が選んだのだと公明党は弁明するかもしれないが、もしそうなら削除させるべきだろう。放置している以上、納得ずくと解釈せざるを得ない。

この日は国会でも、立民党議員がLGBT問題で岸田首相を追及している。やり取りを要約しておこう。

岡本あき子議員（立民）「『同性婚を認めると社会が変わってしまう』との首相発言に対しても非常に大きな批判が出ている。謝罪と撤回を求めたい」

岸田首相「すべての国民に幅広く関わる問題であるという認識の下に『社会が変わる』と申し上げた。ネガティブなことを言っているのではなく、もとより議論を否定しているわけではない」

岡本議員「法務省の答弁のたたき台に『社会が変わる』はあったかも知れない。しかし『変わってしまう』とあえて重ねて言った。その真意を聞いている」

岸田首相「『変わってしまう』と言った、変わることになる、だから議論が必要であると。同性婚について国民全体で考えていきたいと強く思っている」

岡本議員「LGBTの理解増進法を作っていく覚悟はあるか」

岸田首相「議員立法の法案であり、自民党でも引き続き提出に向けた準備を進めていくと確認している。政府としては、まずはこうした動きを尊重しつつ、見守っていきたい」

いかにも攻め込まれている感があり、エマニュエルは「岸田はパンチを喰らって相当足に来ている。チャンスだ」との印象を持ったであろう。

狙った獲物は逃がさない

エマニュエル大使は次いで経済界にも圧力を掛けていく。2月15日のツイートを見てみよう。

今朝は十倉・経団連会長のワシントン訪問に先立ち、エネルギー、経済安全保障、インクルージョンについてお話ししました。経団連は国内のLGBTQI＋に関する事柄を主導していく力を持っています。多様性とインクルージョンが企業や国を強くするのです。

LGBT問題で十倉雅和会長率いる経団連が「主導」的役割を果たせば、ワシントン政財官界に大いに口利きしてやる、しかし逡巡するようなら報復も覚悟せよと懐柔交じりに恫喝したわけだろう。

こういう場面で、エマニュエルが、手ぶり身ぶりも含め、相手を震え上がらせるような振る舞いに出なかったと考えるべきではない。

テーブルにステーキ・ナイフを突き立てて選挙スタッフにダメ出しをした、あるいは「5000ドルとは侮辱だ。あなたは2万5000ドルの人物だ」と電話口で政治献金者をどやしつけたといったエピソードに事欠かない人物である。

訪米から帰った十倉は、エマニュエルに報告のため米大使館を訪れている。大使のツイートにこうある（3月13日）。

経団連の皆さまにお礼申し上げます。ワシントンでは親友のレモンド商務長官をはじめとする米国の重鎮との会合にご参加いただきました。そして今日は、東京で私が訪問を受けました。経団連は、重要な日米韓関係、安全なエネルギー供給、そしてLGBTQI+の人たちの権利に関する取り組みを推進しています。

主題が貿易であろうが外交一般であろうが、常にLGBT問題に引き付けて釘をさすことを忘れていない。狙った獲物は逃さないエマニュエル流の交渉術がよく表れている。

大使との懇談後、十倉経団連会長は記者会見で、訪米中に米政府の要人2人からLGBT理解増進法の進捗具合を問われたとして、「国会で議論されようとしていると答えるのも恥ずかしいくらいだった」「法案を出すことで差別が増進されるとか、訳の分からない議論がなされている」と国会の状況を呆れて見せている。

加えて、世界では「理解増進ではなくて差別を禁じ、同性婚を認める流れにある。理解増進の法案を出すことですら議論をしているというのは、いかがなものか」と自民党の保守派を念頭に、非難の言葉を続けた。まさにエマニュエル大使の口移しである。「恥ずかしい」のはこうした人物が財界の頂点にあることではないか。

狙うは国務長官ポストか

ところでエマニュエルの言動を「アメリカの圧力」と捉えると間違う。

本国アメリカでは、民主党が提出した連邦レベルの包括的なLGBT差別禁止法（名称は平等法）に共和党が一致して反対する状況が続いている。予見しうる将来、成立の見込みはない。

共和党の反対理由の柱は、

①トランスジェンダーの権利を女性の権利の上に置くことで女性の保護が掘り崩される、②差別の定義が曖昧で、思想や信仰の自由を侵し、逆差別を生む、③LGBTイデオロギー教育は性観念が不安定な児童を混乱させ、反発すら生む等である。日本でも当然取り上げられるべき論点だろう。

エマニュエル大使の圧力はあくまで、米民主党のイデオロギーを体現したものであって、共和党政権が任命した大使なら、同様の言動を行うことはまず考えられない。

トランプ政権のポンペオ前国務長官は回顧録に、次のように記している。

私は国務省の人権関係部局が、インクルージョン・コミッサール（多様性受け入れを迫る人民委員）の様相をますます強めていると危惧を抱いた。進歩派的観念を、それを欲しもせず、必要ともしない世界に対して無理やり押し付けようとしている。国務省の人権政策は、アメリカの建国理念と憲法の伝統の範囲から逸脱すべきではない。国際NGO産業複合体が作り出す終わりなき「権利」の隊列から脱け出さねばならない。

まさにエマニュエルとは真逆の態度である。こうした民主党と共和党のスタンスの違いを、日本政治は常に念頭に置かねばならない。「アメリカの圧力」という言葉を安易に使うのも、一種の国際常識の欠如だろう。

ちなみに国務省は、ポンペオが示唆する通り、民主党カルチャーが支配的な組織である。ＬＧＢＴに関して積極的な外交攻勢に出ることで、エマニュエルとしては「国務省一家」の広範な支持を当てにできよう。それは将来ありうべき国務長官ポストに向けた地ならしにもなる。

日本維新の会にも働きかける

エマニュエルは、オープンゲイとして知られる日系のマーク・タカノ下院議員の来日も盛んにアピールした。同議員とは、私も一度ワシントンで会い、北朝鮮による拉致問題について話をしたことがある。柔和な印象の議員だった。タカノ１人なら、ＬＧＢＴでゴリ押しするなどなかったろう。２月17日のエマニュエルのツイートを見てみよう。

警察官、教師、議員などの公職者。ＬＧＢＴＱＩ＋コミュニティーは多彩であり、みな家族です。そして頼れる存在です。日本は世界的にインクルージョンを擁護しています。連邦議会の議員平等幹部会で共同議長を務めるマーク・タカノ下院議員と共に、日本の国会が民意を反映し、差別に反対すると信じています。

ツイートに付けられた写真には、タカノ議員、エマニュエル大使と懇談する岩屋毅（たけし）ＬＧＢＴ議連会長の姿が映っている。しっかりネジを巻かれたのであろう。

それにしても、最後の一行は相当高圧的である。民主国家の議会に対し「民意を反映せよ」とは失礼だろう。この頃から、エマニュエルの言動に対し、内政干渉だとの批判が高まっていく。

大使は、野党の日本維新の会にもハイレベルの働きかけを行っている。３月７日のツイートにこうある。

多くの人の声が政治プロセスに加わることによって、民主主義はより強固なものとなります。今日は日本維新の会代表の馬場議員と共に、強い日米同盟やＬＧＢＴＱＩ＋

の人たちを含む万人の平等など、われわれ大使館と維新が共有する価値観について話し合いました。

維新も、LGBT問題での立ち位置は当時、立民党や共産党と変わらなかったが、馬場伸幸代表に関して救いは、エマニュエルと握手する写真に、公明党の山口代表ほどの卑屈さがないことである。

「同性婚を法制化せよ」

その後4月下旬に入ると、エマニュエルのLGBTツイートは圧力の度合いを増していく。

今こそ、日本が日本らしくある時。東京レインボープライドには、エネルギーが満ち溢れ、意義あるパレードとなりました（2023年4月24日）。

「日本が日本らしくある時」は「アメリカ民主党に近づく時」ではないし、民主党の大使に判断してもらう問題でもない。特定の党派的立場から他国に説教する姿勢は、外交使節にあるまじきものだろう。

もっとも、恫喝すればすぐに屈する国会議員や経済人が多いから、大使もつい調子に乗るわけで、日本の気概なきエリート層の責任が重大である。続いて翌日4月25日のツイートを引いておく。

東京レインボープライドのパレードが終わっても、平等に向けた歩みは今この瞬間も続いています！「Marriage For All Japan － 結婚の自由をすべての人に」の松中権理事とお会いできうれしく思います。「同性婚」か「異性婚」ではなく、単に「結婚」だけがある世界へと進む道について話し合いました。

松中権は、元電通社員でＬＧＢＴ活動家である。日本の民間人士に米大使館の権威を与えて、活動にドライブを掛けようとの意図が窺える。こうした手法は、ワシントン、シカゴでの政治生活を通じてエマニュエルが多用してきたものである。次の日もＬＧＢＴ問題でツイートが連発されている（4月26日）。

平等へのカウントダウンが今始まります。東京レインボープライドで述べたことをもう一度申し上げます。すべての人の平等な権利のために、誰かが我慢をする必要はありません。今こそ国会に皆さんの声を届け、われわれの価値観が忠実に守られるよう行動するのです。ＬＧＢＴＱＩ＋コミュニティーの皆さんが、日本でも米国でも心穏やかに過ごせる時代の到来を告げる時です。

救世主気取り、活動家もどきなどの言葉が浮かぶが、批判を承知の上で煽っているわけだろう。これも長年のエマニュエル・スタイルである。

Ｇ７各国外相、日本労働組合総連合会（連合）の芳野友子会長、そして大多数の日本国民の皆さんは、私と同じ考えです。それは、ＬＧＢＴＱＩ＋の権利を守る「差別禁止法」が、いまこの日本に求められているということです。われわれの誰もがそう思っています。

超党派合意案に書かれたような理解増進法では不足、差別禁止法にまで踏み込めという指令であり、明らかな内政干渉と言える。翌4月27日のツイートも上から叱咤激励するトーンが色濃い。

世論調査のたびに日本国民は声を上げ、差別に「ノー」を突き付けています。今日お会いした国会議員の皆さまは、日本におけるLGBTQI＋の権利を守り、変化を起こそうとしているのです。

あらゆる差別やいじめに反対しつつも、女性や子供の保護の観点から、また活動家利権を排除する意味からLGBT法に疑問を呈する、私を含む日本人は「日本国民」に含まれないかの如くである。なお大使と共に写真に収まっている「今日お会いした国会議員」は自民党では山下貴司、小田原潔衆院議員らである。

エマニュエルの5月2日のツイートは早く同性婚を法制化せよと促す内容である。

共同通信社の世論調査では、日本国民の71％が同性婚の合法化を支持している。国民は時代を先取りし、未来を見据え、誰もがその一員となることを望んでいる。公明党幹部による結婚の平等を求める発言や経済同友会の取り組みは、結婚の平等に対する幅広い支持があることの表れだ。日本は、誰かが作った未来によって道を決められるのではなく、未来を自ら形作るために前進する準備が整っている。

日本は米民主党の活動家が「作った未来によって道を決められる」ことはない、いい加減黙ったらどうかという保守派の声は、大使館に十分届いていたはずだが、エマニュエルに臆する様子は見えない。

「岸田の意向だった」

５月12日、自民党のＬＧＢＴ特命委員会と内閣第一部会の合同会議において、岸田首相の意を受けた新藤義孝特命委幹事長らが、多くの反対の声を押し切って「委員長一任」で審議を打ち切った。この日に合わせ、エマニュエルは他国の駐日代表も動員したビデオメッセージを発し、圧力を強めている。

私が複数の親友から同じアドバイスを受けたら、それに対して真摯に耳を傾けます。都内15の在日外国公館は、ある共通のメッセージへの支持を表明しました。それは、われわれは全ての人の普遍的人権を擁護し、LGBTQI＋コミュニティーを支援し、差別には反対するというものです。

「我々先進国代表の言うとおりにしろ」というわけだが、この圧力は、情けないことに、岸田首相や多くの自民党幹部には十分効果的だったようだ。

私が自民党案とりまとめの中心人物、古屋圭司衆院議員に聞いたところでは、「LGBTで日本が国際的に風評被害を受けているのでサミットまでに形を付けたい、が岸田の意向だった」とのことだった。

風評被害があるというなら、「日本には特別法を作らねばならないようなLGBT差別はない」と堂々と反論すればよく、女性や子供に害を及ぼす生煮えの法案を提出してサミットをしのごうという発想は不見識という他ない。

岸田首相は広島サミットの議長であり、LGBTは特に議題とせず、その分、台湾有事、対中経済安全保障などの主テーマに時間を傾斜配分すればよい。何のための議事運営権限なのか。

Ｇ７サミット開幕を３日後に控えた5月16日、自民党は総務会で駆け込み的にＬＧＢＴ自民党修正案を了承し、公明党の同意を得て与党案としての提出を決めた。それを受けて、エマニュエル大使は追加の内政干渉ツイートを発している。

岸田首相をはじめとする自民党ならびに公明党幹部のリーダーシップと、差別の撤廃と平等の推進に向けた行動に賛辞を贈りたいと思います。2017年の頓挫してしまった法案とは異なり、今日提出されたLGBTQI+理解増進法案は、万人の平等に向けた長い道のりの重要な第一歩となることでしょう。平等を支持し、変化を求める日本の皆さまのおかげです。

「第一歩となる」とは、今後も干渉を続けるという意味に他ならない。

殺人事件の隠蔽に加担疑惑

さて、エマニュエルは、なぜここまでなりふり構わず内政干渉に走るのか。背後にあるのはエマニュエルの黒い野望である。

すでに見た通り、LGBT問題はアメリカでも、というより日本以上にアメリカにおいて、激しいせめぎ合いが続いている。

同時にLGBT問題は、内部に様々な軋みを抱える民主、共和両党にとって、党の一体性を誇示できる得難い「接着剤」的テーマでもある。

エマニュエルとしては、この問題で「俺が日本に差別禁止法を作らせた」と胸を張れれば、本国の民主党サークル全体から評価される展開が期待できる。

先に触れたとおり、エマニュエルの駐日大使人事には、民主党の最左派グループから強い反対の声が上がった。経緯を具体的に見ておこう。

2023年2月下旬、民主党左派を代表する若きヒロイン、アレクサンドリア・オカシオコルテス下院議員（AOC）が来日した。

ＡＯＣは東京で、「日本は、単に結婚の平等だけでなく、広くＬＧＢＴコミュニティを受け入れる方向に動かねばならない」、この問題で日本がもっとまともに対応すれば日米関係に資するなどと発言し、米保守派から、余計な内政干渉をするなと批判を浴びている。

エマニュエルと似た主張だが、同時期に来日したタカノ議員が、大使とＬＧＢＴ問題で行動を共にしたのに対し、ＡＯＣの方は大使と会った形跡がない。

バイデン大統領がエマニュエルを駐日大使に指名した際、ＡＯＣが「深く恥ずべき」人事と非難し、撤回を求めたしこりが残っていたゆえだろう。「恥ずべき」理由の中心にはある刑事事件がある。

２０１４年、若い黒人男性が、シカゴ市警の警官による発砲で死亡した。この事件は当初警官の正当防衛とされ、同時に遺族には多額の弔慰金が市から支払われた。

事件当夜から、現場を映したボディカメラ（警察官が勤務中に装着する小型カメラ）の映像を公開せよとの声が強くあったが、選挙を控えていたエマニュエル市長は応じなかった。首尾よく再選を果たしたのち、裁判所の命令で現場ビデオを公表するに至ったが、黒人少年はナイフを手にしていたものの、背中を向けて立ち去るところを撃たれ、倒れた後も銃撃は続いていた。当該警官は逮捕起訴され、有罪となる。

この映像は全米で話題となり、ＡＯＣはじめ民主党左派は、個人的利益を優先した証拠隠滅工作とエマニュエル市長を激しく糾弾した。

２０２１年にＡＯＣが出した「エマニュエル大使人事反対」声明から引いておこう。

この人事は、深く恥ずべきものだ。シカゴの市長として、ラーム・エマニュエルは、ラクアン・マクドナルド殺害事件の隠蔽（いんぺい）に加担した。被害者は、シカゴの警察官に背後から16発の銃弾を撃ち込まれた時、まだほんのティーンエイジャーだった。それだけでも、エマニュエルにはいかなる公職に就く資格もないと断言せねばならない。大使としてアメリカを代表するなど論外だ。

保守派に言わせれば、「警察の資金を断て」運動の中心人物であるＡＯＣに治安問題で発言する資格はないということになるが、ともあれＡＯＣのみならず、民主党左派はエマニュエルへの嫌悪と不信を繰り返し表明してきた。

したがって、同氏にとって、民主党の一致した関心事項であるＬＧＢＴ問題で一大成果を上げることが華々しく米中央政界に復帰する起死回生の一手と意識されても不思議はない。

内政干渉批判をものともせず、大使というより活動家を思わせる言動に走る背後には、個人的野心が明らかに働いていよう。

不当極まりない逆差別

アメリカでは、連邦レベルでは、民主党が提出したＬＧＢＴ差別禁止法が成立する見込みはないが、左翼の首長がいて左翼教員組合が強い地域では、相当踏み込んだ「措置」が取られてきた。それだけに保守派の反撃の動きも強い。

一端を記しておこう。

なお米最高裁は２０２０年に、ＬＧＢＴであることを理由とした解雇や採用拒否は公民権法に定められた「雇用機会の平等」に反するとの判断を下している。あくまで雇用に限定した上での「差別の排除」であった。

一方、民主党提出の法案は、レクリエーション施設や教育の場での「差別」も許されないとしており、ジムのサウナや教育の一環である学生競技大会も「差別排除」の対象となる。

近年、女子選手がトランスジェンダー選手（生来の男子）に敗れた結果、スポーツ奨学金が得られず進学を断念するなどの具体的事例が少なからず生じている。「不公正」を訴えたところ、内定先企業にＬＧＢＴ活動家が「差別学生を雇うのか」と圧力を掛け、就職の道まで閉ざされたという不当極まりない逆差別のケースもある。

「着替え中なので出て行って」とトランスジェンダー女子（生来の男子）に求めた女子高生が停学処分とされ、抗議した父親もサッカーコーチの職を解かれたバーモント州のケースも大いに問題となった。

ＬＧＢＴ教育は、保守とリベラルがぶつかる「激戦地」の一つである。左翼が主導する「先進」地域では、幼稚園から小中高を通じ、「性、性自認、性的指向」に関して濃密なカリキュラムが組まれ実践的指導が行われている。

生徒は自分の心の中のＬＧＢＴ的要素を掘り下げるよう促され、「トランスジェンダーだと思う」と告白する者がいれば、「無理解な親」に知らせずに呼び名を変え（例えばメアリーからマイクに）、従来の代名詞（彼女）を使う者がいればいじめと見なして叱責するといった指導例が報告されている。

「普通のトランスジェンダー」だけでなくノンバイナリー（男女の二分法を拒否）も自然な性自認の一つと教えられる。

典型的には、女性の場合、乳房切除術を受けつつ男性ホルモンの注射はせず、性別の不分明な存在を目指す。

男性の場合、バイデン政権がノンバイナリー初の幹部職員として起用を喧伝したエネルギー省次官補代理がスター的典型例だった。口髭、スキンヘッドに真っ赤な口紅、女装で役所に通う様を誇示したＬＧＢＴ活動家である（その後、複数の窃盗罪で免職）。

性教育も変化し、男女の型だけでなく、男性同士、女性同士の型も「正常」として教えなければＬＧＢＴへの偏見を助長するとして、過半の時間がビジュアル教材を用いたアナルセックスやオーラルセックスの講習に当てられる。

当然違和感を覚える生徒が出、強く反発する親が出る。そうした中、反撃の先頭に立った１人が前節で触れたデサンティス知事だった。

ＬＧＢＴに関して統一した「アメリカの立場」などない。混迷は深まり対立は激化する一方である。バイデン民主党政権の一方に偏した主張に萎縮するなど不見識も甚だしい。

特に自由主義的保守政党を標榜する自民党や維新は、米共和党の戦闘力に学び、理論武装のレベルを上げるべきだろう。

二〇二三年のＬＧＢＴ理解増進法（私はＬＧＢＴ利権法と呼んでいる）騒動は、安倍晋三という心棒を失った自民党の「理念なき迷走」を如実に示した。

安倍自身、生前、「（岸田が総理総裁になって）自民党はリベラル化というより腰抜け化した」と語っていたという（産経・阿比留瑠比記者証言）。

特に人権に関する法は「差別」の中身を明確にしないと無限定に逆差別が起こる。ＬＧＢＴ法では、法案自体に規定がない上、丁寧な国会審議を通じて立法者意思を明らかにするという必須プロセスも放棄された。文明国ではあってはならない事態である。

基本用語すらまともに定義されず「ジェンダーアイデンティティ」とカタカナ英語で誤魔化す禁じ手が取られた。女性や児童を変質者や洗脳教育から保護する仕組みは明示されなかった。一方、ＬＧＢＴ活動家の利権確保だけは、念入りに書き込まれている。

自由主義国では、「差別」や「地球環境」という言葉が、利権や国家解体を狙う勢力が常識人をねじ伏せる「決め台詞（ぜりふ）」となっている。負けてはならない。本書が理論武装の一助になれば幸いである。

（文中一部敬称略）

あとがき

私は数十年来、アメリカ研究を主なテーマとしてきた。「北朝鮮に拉致された日本人を救出するための全国協議会」の副会長も務めており、その関係で、家族会、拉致議連のメンバーと共に訪米する機会も多かった。

ワシントンで米政府高官と会った際には、本来の情報提供と意見交換が（通常）和やかに終わった段階で、相手の意表を突く直球質問をする役割を自らに課してきた。そうして得られた知見の一端は、本書に盛り込んである。

拉致と言えば、亡くなった有本嘉代子さん（拉致被害者恵子さんの母）の「日本はこんな国じゃなかったですよ」という言葉がしばしば脳裏に蘇る。

アメリカに協力を求めることには、正直、忸怩たる思いがある。米側要人は常に拉致被害者に同情の念を示し、応援を約してくれるが、日本のあり方全般に満足しているわけではない。時々本音が漏れることがある。

かねて安倍首相は、来日した米政府高官に「日本は力で取り戻せない国なんだから、北と交渉する以外ないだろう」と言われ、悔しい思いをしたと語っていた。

本文でも紹介したが、小沢民主党の妨害で、海上自衛隊によるアフガン沖での給油活動が中断に至った直後の訪米では、国防総省高官から「米軍を見捨てながら、拉致被害者を見捨てるなとは随分身勝手じゃないか」と言わんばかりの厳しい言葉が、拉致議連の民主党メンバーに対して投げつけられた。

そうした場面に居合わせるにつけ、日米同盟は決して安泰でないと痛感する。攻守を共にする関係にあって、初めて同盟は機能する。専守防衛は同盟と両立しない。

稀代の「受け師」として知られる木村一基九段は、受け将棋の要諦(ようてい)は、「相手の攻めゴマを攻めること」であり、ギリギリの体勢から一気のカウンターを繰り出すことだと言う。「受け」は「守りに入る」ではない。さすが、実力の世界で長く上位にある人の言葉だけに、重みがある。

将棋の世界は、しばらく前まで羽生、森内2強の印象だったが、あっという間に藤井聡太1強時代になった。実力の世界は変遷が早く、恐ろしいほど分かりやすい。

その点、学界や言論界は、何の力もない肩書だけの長老や「作られたスター」がいつまでも居座る傾向にある。恐ろしいほど回転が悪い。国際常識に欠けた幼稚な議論が横行するのも無理はなく、一掃するのは国連改革より難しいだろう。

政治の世界は、安倍1強時代が唐突に終わり、混迷の時代が続く。理念が明確で、理解が早く、実行力のあった安倍氏がいなくなった分、私のような国際政治研究者も、一層説得力のある形で論を構成し、効果的に発信していかねばならないだろう。本書はその試みの一つである。「安倍さんに言っておけば何とかなる」という時代は終わった。

最後に、本書の出版に当たっては、月刊『Ｈａｎａｄａ』の花田紀凱編集長、沼尻裕兵副編集長に大変お世話になった。記して謝意を表したい。

二〇二三年六月

島田洋一

【著者略歴】

島田洋一（しまだ　よういち）
国際政治学者、福井県立大学名誉教授。1957年、大阪府生まれ。京都大学大学院法学研究科政治学専攻博士課程修了後、京大法学部助手、文部省教科書調査官を経て、2003年、福井県立大学教授。2023年より現職。拉致被害者を「救う会」全国協議会副会長、国家基本問題研究所企画委員・評議員。著者に『アメリカ解体』（ビジネス社）、共著に『新アメリカ論』『日本の勝機』（ともに産経新聞出版）、その他論文など多数。

腹黒い世界の常識

2023年 7月12日　第1刷発行
2023年10月20日　第5刷発行

著　者　島田洋一

発行者　花田紀凱
発行所　株式会社　飛鳥新社
〒101-0003 東京都千代田区一ツ橋2-4-3　光文恒産ビル2F
電話（営業）03-3263-7770（編集）03-3263-5726
https://www.asukashinsha.co.jp

装　幀　DOT・STUDIO
印刷・製本　中央精版印刷株式会社
カバー写真　Getty Images

ISBN 978-4-86410-938-3

編集担当　沼尻裕兵